KB118774

인기 강좌 100명 강

안쌤의

최상위 줄기과학

초등 6·1

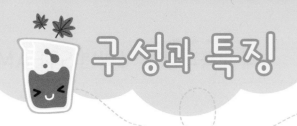

구성과 특징

개념

교과서 핵심 내용을 간결하면서도 이해하기 쉽게 설명해 놓았습니다. 또한, 풍부한 시가 자료가 있어 개념이 확실히 잡히도록 구성하였습니다.

개념 더하기
교과서 개념을 이해하는 데 도움이 되는 설명들로 구성하였습니다.

탐구
단원의 중요 탐구를 제시하여 중요 내신형 탐구 문제를 쉽게 해결할 수 있도록 구성하였습니다.

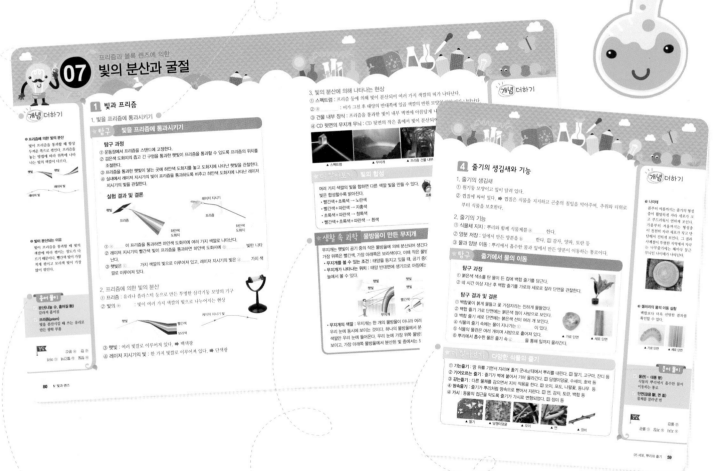

용어 풀이
한자의 뜻을 알면 용어의 뜻을 잘 이해할 수 있어 과학 용어를 잘 기억할 수 있습니다.

생활 속 과학
새 교육과정의 융합인재교육(STEAM)에서 강조하고 있는 생활 속 과학을 교과서 개념이 적용된 내용으로 구성하였습니다.

더 알아보기
학교 시험에 나올 수 있는 문제를 대비하여 교과서 개념을 응용하거나 적용된 실생활 내용으로 구성하였습니다.

문제 구성

교과서 핵심 내용 파악을 확실히 했는지 확인하기 위한 객관식 문제 유형과 서술형 문제 유형으로 구성하였습니다. 또한 새 교육과정에서 강조하는 융합인재교육(STEAM)을 위한 융합사고력 문제 유형과 STEAM 실험실로 탐구력 향상 문제 유형을 구성하였습니다.

🌱 개념 기르기

개념을 확실히 파악했는지 확인하고 학교 시험에 자주 출제되는 문제를 통해 기초를 튼튼히 기를 수 있도록 구성하였습니다.

🌱 서술형으로 다지기

학교 시험에서 출제되는 서술형 문제를 집중적으로 연습할 수 있고, 문제를 해결하기 위한 사고의 흐름을 🔍 손에 잡히는 문제 해결 로 제시하여 문제해결력을 다질 수 있도록 구성하였습니다.

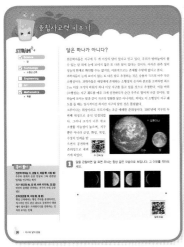

🌱 융합사고력 키우기

창의 서술형 평가로 새롭게 등장한 융합형(STEAM) 문제를 대비할 수 있도록, 신문기사(NIE), 실생활 속 제품, 과학사 등의 지문을 이용하여 서술형 문제와 논술형 문제를 넣고, 🔍 손에 잡히는 문제 해결 로 융합적 사고의 흐름을 제시하여 융합사고력을 키울 수 있도록 구성하였습니다.

🌱 탐구력 키우기

새 교육과정에서 등장한 단원별 마무리 STEAM 활동처럼 단원을 STEAM 탐구로 마무리할 수 있도록 구성하였습니다.

✏️ 문제 구성 속 아이콘

ⓐ 개념 속 빈칸

눈으로만 보는 개념보다 빈칸을 채워가며 완성하는 개념이 학습에 도움이 됩니다. 이를 위해 핵심 개념에 빈칸을 넣어 구성하였습니다.

정답 개념 속 빈칸 정답

빈칸을 채워가며 개념을 완성하는 데 정답 확인이 번거롭지 않도록 개념 페이지 하단에 정답을 넣었습니다. 답을 바로바로 확인하면서 개념 페이지를 완성할 수 있습니다.

⭐ 중요

출제 빈도가 높은 문제에는 중요 아이콘을 표시했습니다. 이 문제는 확실히 이해하고 넘어가도록 합니다.

신유형

새 교육과정에 맞춰 새롭게 등장한 유형으로 학교 시험 예상 문제입니다.

논술형

최근 창의 서술형 평가로 새롭게 등장한 논술형 문제를 대비할 수 있도록 구성하였습니다.

차례

식물의 구조와 기능

 빛과 렌즈

I 지구와 달의 운동

이 단원의 주요 내용

지구의 자전으로 하루 동안 태양과 달의 위치가
달라지는 것을 이해하고, 지구의 공전으로 인해
계절에 따라 별자리가 달라지는 것을 이해한다.
관찰을 통해 여러 날 동안 달의 모양과
위치가 주기적으로 바뀌는 것을 안다.

★ 2015 개정 교육과정 교과서

초등 5~6학년 군 :

　　　6학년 1학기 2단원 지구와 달의 운동

★ 다른 학년과의 연계

초등 5~6학년 군 : 계절의 변화
중학교 1~3학년 군 : 태양계, 별과 우주

01 지구의 자전

개념 더하기

1 움직이는 지구와 달

1. 지구의 움직임

① 지구의 운동 카드를 순서대로 겹친 후 빠르게 넘기면 지구가 제자리에서 ⓐ＿＿＿＿한다.

지구의 움직임

2. 달의 움직임

① 달의 운동 카드를 순서대로 겹친 후 빠르게 넘기면 달의 ⓑ＿＿＿＿이 바뀐다.

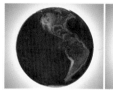 

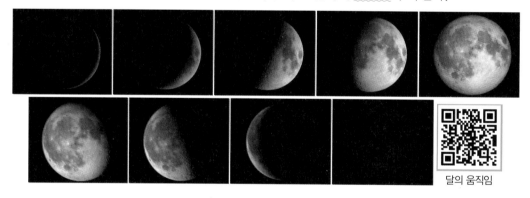

달의 움직임

● 달

달은 지구의 하나밖에 없는 위성이다. 스스로 빛을 내지 못하지만 태양 빛을 반사하기 때문에 밝게 보인다. 달의 모양은 매일매일 달라 보이지만, 실제 달은 둥근 모양이다.

2 지구의 자전

1. 물체의 상대적인 운동

① 달리는 기차 안에서 창밖으로 보이는 풍경의 변화

• 창밖 풍경이 뒤로 움직이는 것처럼 보인다.

• 기차 앞에 있는 건물이나 나무가 다가오는 것처럼 느껴진다.

• 기차는 가만히 있고 밖에 있는 물체가 뒤로 움직이는 것처럼 느껴진다.

용어 풀이

✔ **자전(스스로 自, 구를 轉)**
천체가 스스로 고정된 축을 중심으로 회전하는 운동

✔ **상대적(서로 相, 대할 對, 목표 的)**
서로 맞서거나 비교되는 관계에 있는 것

 정답

ⓐ 자전 ⓑ 모양

2. 하루 동안 지구의 움직임 알아보기

★탐구　하루 동안 지구의 움직임 알아보기

탐구 과정
① 지구의에서 우리나라를 찾은 후, 우리나라의 동쪽, 서쪽, 남쪽, 북쪽에 붙임딱지를 붙인다.
② 우리나라 위치에 인형이 남쪽을 향하도록 세운다.
③ 인형의 위치에서 오른쪽과 왼쪽의 방향을 알아본다.
④ 가슴에 지구 붙임딱지를 붙인다.
⑤ 남쪽을 향해 섰을 때 오른쪽과 왼쪽의 방향을 알아보고 알맞은 방향 붙임딱지를 붙인다.
⑥ 전등을 켜고 1 m 정도 떨어져 선다.
⑦ 서쪽에서 동쪽(시계 반대 방향)으로 제자리에서 한 바퀴 돌면서 전등의 움직임을 관찰한다.

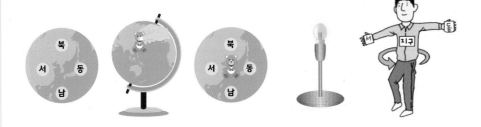

탐구 결과 및 결론
① 인형을 남쪽을 향하도록 세우면 인형의 오른쪽은 ⓐ____쪽이고, 왼쪽은 ⓑ____쪽이다.
② 가슴에 지구 붙임딱지를 붙이고 남쪽을 향해 섰을 때 오른쪽은 서쪽이고, 왼쪽은 동쪽이다.
③ 서쪽에서 동쪽(시계 반대 방향)으로 제자리에서 한 바퀴 돌면 전등은 ⓒ____쪽에서 ⓓ____쪽
(시계 방향)으로 움직이는 것처럼 보인다.

3. 지구의 자전
① ⓔ_____ : 지구의 북극과 남극을 이은 가상의 직선으로
23.5° 기울어져 있다.
② 지구의 ⓕ_____ : 자전축을 중심으로 지구가 하루에 한 바퀴씩
회전하는 운동
③ 지구의 자전 방향 : 서쪽에서 동쪽(시계 반대 방향)으로 움직인다.
④ 지구의 자전 주기 : 23시간 56분 04초, 약 24시간
⑤ 지구가 자전하기 때문에 지구에 있는 우리에게는 태양, 달, 별과 같은 천체가 하루 동안
동쪽에서 서쪽으로 움직이는 것처럼 보인다.

개념 더하기

● 행성의 자전 방향
• 태양계를 구성하고 있는 행성은 태양으로부터 수성, 금성, 지구, 화성, 목성, 토성, 천왕성, 해왕성 순으로 배열되어 있고, 대부분 행성은 지구처럼 서쪽에서 동쪽으로 자전한다.
• 예외적으로 금성과 천왕성은 동쪽에서 서쪽으로 자전한다. 만일 우리가 금성에서 태양이 뜨고 지는 것을 볼 수 있다면, 지구와 반대로 태양이 서쪽에서 떠올라 동쪽으로 지는 것처럼 보일 것이다.

용어 풀이

☑ **자전축**(스스로 自, 구를 轉, 굴대 軸)
천체가 자전할 때 중심이 되는 축

☑ **주기**(돌 週, 기약할 期)
회전하는 물체가 한 번 돌아서 본래의 위치로 오기까지의 시간

정답
ⓔ 자전축　ⓕ 자전
ⓐ 서　ⓑ 동　ⓒ 동　ⓓ 서

01 지구의 자전

개념 더하기

● 하루 동안 보름달의 위치 변화
보름달은 태양이 보이지 않는 초저녁 무렵에 동쪽에서 떠서 남쪽을 지나 새벽 무렵에 서쪽에서 진다. 따라서 보름달을 관찰하면 하룻밤 동안 달의 위치 변화를 충분히 관찰할 수 있다.

● 사자자리
봄철 대표적인 별자리이다.

용어 풀이

☑ 달
지구 주위를 공전하고 있는 천체로 지구에서 가장 가까운 거리에 있다.

☑ 별
스스로 에너지를 만들어 빛에너지를 방출하는 천체로 항성이라고도 부른다.

정답

ⓐ 동 ⓑ 남 ⓒ 서
ⓓ 자전

3 하루 동안 태양과 달의 위치 변화

1. 하루 동안 태양의 위치 변화 관찰하기

① 태양은 ⓐ_____쪽 하늘에서 보이기 시작하여 남쪽 하늘을 지나 서쪽 하늘로 움직이는 것처럼 보인다.

2. 하루 동안 달의 위치 변화 관찰하기

① 달은 동쪽 하늘에서 보이기 시작하여 ⓑ_____쪽 하늘을 지나 서쪽 하늘로 움직이는 것처럼 보인다.

3. 하루 동안 별의 위치 변화 관찰하기

① 사자자리는 동쪽 하늘에서 보이기 시작하여 남쪽 하늘을 지나 ⓒ_____쪽 하늘로 움직이는 것처럼 보인다.

4. 하루 동안 태양, 달, 별의 위치가 변하는 이유

지구의 ⓓ_____에 의해 하늘에 보이는 모든 천체가 하루 동안 동쪽에서 서쪽으로 움직이는 것처럼 보인다.

4 낮과 밤이 생기는 이유

1. 낮과 밤이 생기는 이유 알아보기

★탐구   낮과 밤이 생기는 이유

🔹 탐구 과정
① 지구의에서 우리나라를 찾아 인형을 붙인다.
② 전등과 지구의 거리를 약 30 cm 정도 되게 한다.
③ 전등을 켜고 지구의를 서쪽에서 동쪽(시계 반대 방향)으로 천천히 돌린다.
④ 우리나라가 낮일 때와 밤일 때 인형의 위치를 확인한다. 이때 우리나라가 밝을 때가 낮이고, 어두울 때가 밤이다.

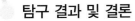
30 cm

🔹 탐구 결과 및 결론
① 인형이 전등을 향할 때는 밝은 ⓐ＿＿＿이다.
② 인형이 전등 반대쪽을 향할 때는 어두운 ⓑ＿＿＿이다.

낮밤

2. 낮과 밤이 생기는 이유
① 낮과 밤은 지구가 ⓒ＿＿＿＿하기 때문에 생긴다.

• 우리가 살고 있는 지역이나 나라가 태양 쪽을 향하면 태양 빛을 받게 되어 낮이 된다.
• 태양이 비추지 않는 반대쪽으로 돌아가면 태양 빛을 받을 수 없어 캄캄한 밤이 된다.

태양   낮 밤   지구

② 우리나라가 낮이 시작될 때 우리나라 반대편에 위치한 브라질은 ⓓ＿＿＿이 시작된다.

개념 더하기

● **지구 자전에 의한 현상**
낮과 밤이 생기고 태양, 달, 별이 동쪽에서 떠서 서쪽으로 지는 것은 지구의 자전 증거가 아니라 지구의 자전에 의해 나타나는 현상이다. 천체들이 지구를 중심으로 돌고 있다고 가정해도 이러한 현상이 나타난다.

● **지구 자전의 증거**
• 인공위성 궤도의 서편 이동 현상 : 인공위성은 지구를 돌며 일정한 방향으로 공전하고 있다. 지구가 서쪽에서 동쪽으로 자전하기 때문에 인공위성의 궤도가 서쪽으로 이동하는 것처럼 보인다.
• 푸코 진자 : 북반구의 경우 천장에 매달아 놓은 진자의 진동 방향이 지구의 자전에 의해 시계 방향으로 회전한다.
• 전향력 : 북반구의 경우 움직이는 물체는 지구의 자전에 의해 오른쪽으로 치우친다.

지구 자전 증거

정답 ▶
ⓓ 밤
ⓐ 낮 ⓑ 밤 ⓒ 자전

개념기르기

01 하루 동안 지구의 움직임을 알아보는 실험을 하였습니다. 이 실험에 대한 설명으로 옳지 <u>않은</u> 것은 어느 것입니까? ( )

① 전등이 있는 곳이 남쪽이다.
② 남쪽을 향하도록 섰을 때 왼쪽은 동쪽이다.
③ 남쪽을 향하도록 섰을 때 오른쪽은 서쪽이다.
④ 제자리에서 도는 것은 지구의 자전을 의미한다.
⑤ 서쪽에서 동쪽(시계 반대 방향)으로 제자리에서 한 바퀴 돌면 전등은 서쪽에서 동쪽으로 움직이는 것처럼 보인다.

02 다음 중 지구의 자전에 대한 설명으로 옳은 것은 어느 것입니까? ( )

① 달이 지구를 중심으로 회전하는 것
② 지구가 달을 중심으로 회전하는 것
③ 태양이 지구를 중심으로 회전하는 것
④ 지구가 태양을 중심으로 회전하는 것
⑤ 지구가 자전축을 중심으로 회전하는 것

03 다음 중 지구의 자전 방향을 바르게 표시한 것은 어느 것입니까? ( )

① 동쪽 → 서쪽
② 서쪽 → 동쪽
③ 남쪽 → 북쪽
④ 북쪽 → 남쪽
⑤ 매일 다른 방향으로 자전한다.

04 다음 그림은 하루 동안 태양의 위치 변화를 나타낸 것입니다. ㉠~㉤ 중 서쪽 하늘은 어느 것입니까? ( )

① ㉠
② ㉡
③ ㉢
④ ㉣
⑤ ㉤

05 3월 21일 0시에 하늘을 관찰하니 남쪽 하늘 가운데에 보름달이 떠 있었습니다. 6시간 전인 18시에 보름달의 위치로 옳은 것은 어느 것입니까? ( )

① 동쪽 하늘
② 서쪽 하늘
③ 남쪽 하늘
④ 북쪽 하늘
⑤ 관찰할 수 없다.

06 다음은 3월 20일 23시에 관찰한 사자자리의 위치입니다. 21일 4시 무렵에 사자자리를 관찰할 수 있는 방향으로 옳은 것은 어느 것입니까? ( )

① 동쪽 하늘
② 서쪽 하늘
③ 남쪽 하늘
④ 북쪽 하늘
⑤ 관찰할 수 없다.

07 다음 중 지구가 자전하기 때문에 나타나는 현상으로 옳은 것을 <u>모두</u> 고르세요.   (,   )

① 달의 모양이 달라진다.
② 우리나라에 사계절이 나타난다.
③ 태양이 움직이는 것처럼 보인다.
④ 우리나라에 낮과 밤이 반복적으로 나타난다.
⑤ 달이 서쪽에서 동쪽으로 이동하는 것처럼 보인다.

08 다음 중 하루 동안 달과 별의 위치가 달라지는 이유로 옳은 것은 어느 것입니까?   (   )

① 실제로 달과 별이 움직이기 때문이다.
② 달과 별이 스스로 빛을 내기 때문이다.
③ 밤에는 지구가 움직임을 멈추기 때문이다.
④ 태양이 지면서 태양 빛이 사라지기 때문이다.
⑤ 지구가 자전하면서 달과 별이 움직이는 것처럼 보이기 때문이다.

[09~11] 지구의와 인형, 전등을 이용하여 낮과 밤이 생기는 이유를 알아보기 위해 실험하였습니다.

(가)   (나)

09 위 실험에서 (가)와 (나)에 대한 설명으로 옳은 것은 어느 것입니까?   (   )

① (가)에서 낮인 지역은 어둡다.
② (나)에서 밤인 지역은 어둡다.
③ (가)에서 인형은 밤인 지역에 위치한다.
④ (나)에서 인형은 낮인 지역에 위치한다.
⑤ (가)와 (나) 모두 인형은 낮인 지역에 위치한다.

10 위 실험에서 낮과 밤인 지역을 바꿀 수 있는 방법으로 옳은 것은 어느 것입니까?   (   )

① 지구의를 그대로 둔다.
② 전등을 제자리에서 돌린다.
③ 지구의를 위아래로 움직인다.
④ 자전축을 중심으로 지구의를 돌린다.
⑤ 전등과 지구의를 같은 방향으로 동시에 돌린다.

11 위 실험에서 자전축을 중심으로 지구의를 돌리는 것이 의미하는 것은 어느 것입니까?   (   )

① 달의 자전   ② 지구의 자전
③ 태양의 자전   ④ 지구의 공전
⑤ 움직이지 않는 태양

12 다음 중 낮과 밤이 반복되는 까닭을 바르게 설명한 것은 어느 것입니까?   (   )

① 달이 지구 주위를 공전하기 때문이다.
② 태양이 스스로 하루에 반 바퀴 돌기 때문이다.
③ 지구가 스스로 하루에 한 바퀴 돌기 때문이다.
④ 태양이 지구 주위를 하루에 한 바퀴 돌기 때문이다.
⑤ 태양이 낮에는 빛을 내고 밤에는 내지 않기 때문이다.

서술형으로 다지기

01 다음은 각 지역별로 새해 일출 시각을 나타낸 것입니다. 새해 일출을 보기 위해서 주로 강릉 정동진, 포항 호미곶, 울산 간절곶 등 동쪽으로 갑니다. 우리나라 동쪽의 일출 시각이 서쪽보다 빠른 이유를 적어보세요.

- 인천 : 7시 48분
- 서울 : 7시 47분
- 대전 : 7시 42분
- 목포 : 7시 42분

- 강릉 : 7시 40분
- 포항 : 7시 33분
- 울산 : 7시 31분
- 부산 : 7시 32분

02 다음은 민준이가 하루 동안 달의 위치를 관찰하기 위해 세운 계획입니다. 민준이가 달의 움직임을 관찰하기 위한 날짜를 음력 15일로 정한 이유를 적어보세요.

날짜	음력 4월 15일
관찰 시각	저녁 6시경~ 다음날 새벽 6시경
관찰 방법	① 높은 산에 올라간다. ② 남쪽을 향해 선 후, 관찰 기록장에 왼쪽은 동쪽, 가운데는 남쪽, 오른쪽은 서쪽으로 기록한다. ③ 관찰 기록장에 주위의 큰 건물이나 나무 등을 그린다. ④ 달이 뜨기 시작할 때부터 같은 장소에서 1시간 마다 달을 관찰하고, 시각과 달의 위치를 기록한다.

03 다음과 같이 지구의, 인형, 전등을 설치하고, 지구의를 지구의 자전 방향으로 돌리면서 변화를 관찰하였습니다. 이 실험을 통해 알 수 있는 점을 적어보세요.

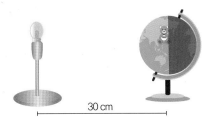

30 cm

04 만약 지구가 동쪽에서 서쪽으로 시계 방향으로 자전한다면 지금과 달라지는 점을 적어보세요.

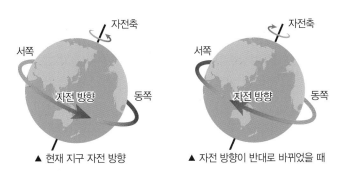

▲ 현재 지구 자전 방향   ▲ 자전 방향이 반대로 바뀌었을 때

손에 잡히는 문제 해결

지구의, 인형, 전등의
역할은 무엇인가요?

▼

지구의를 어느 방향으로
돌려야 하나요?

▼

지구의를 돌렸을 때
어떤 현상이 나타나나요?

손에 잡히는 문제 해결

지구가 자전하기 때문에 나타나는
현상은 무엇이 있나요?

▼

지구가 자전하기 때문에 나타나는
현상 중 지구의 자전 방향에 영향을
받는 것은 무엇이 있나요?

▼

지구의 자전 방향이 바뀌면
어떤 점이 달라질까요?

STEAM

- ✓ **Science**
  - ▶ 지구의 자전
- ✓ **Technology**
  - ▶ 상대 속도
- ☐ **Engineering**
- ☐ **Art**
- ☐ **Mathematics**

21억 년 뒤 하루는 30시간?

1960년대 미국 고생물학자 존 웰스는 고생대 산호 화석을 연구하다가 기묘한 점을 발견했다. 4억 년 전에 살았던 산호에는 1년에 약 400개의 성장선이 있었지만, 3억 년 전에 살았던 산호에는 1년에 390개의 성장선이 있었던 것이다. 성장선이 줄어든다는 것은 1년의 날수도 계속 줄어든다는 의미다. 지구가 태양을 공전하는 주기, 즉 1년은 크게 변하지 않기 때문에 1년의 날수가 줄어든다는 것은 곧 '하루'가 길어지고 있다는 뜻이다.

하루는 지구가 자전하는 데 걸린 시간이다. 현재 하루의 길이는 지구와 태양 사이의 거리가 일정하지 않기 때문에 23시간 59분 38초~24시간 00분 30초로 조금씩 변한다. 이렇게 변화하는 시간을 평균 낸 값이 약 24시간, 우리가 알고 있는 '하루'다. 3억 년 전 석탄기에 살았던 산호의 성장선이 390개였다는 것은 1년이 약 390일이라는 것을 의미한다. 이를 계산해보면 3억 년 전 당시 하루는 약 22시간 30분이었다. 지구 탄생 당시에는 하루가 6시간 정도로 지금보다 훨씬 짧았다. 반대로 21억 년 뒤에는 하루가 약 30시간이 될 것이고, 75억 년 뒤에는 지구의 자전이 완전히 멈추게 될 것으로 예상된다. 현재 하루는 100년에 0.002초씩 길어지고 있다. 지구의 자전 속도가 느릿느릿 변한다고 당장 하루의 길이가 변하지는 않는다. 100년을 꼬박다 산다고 해도 내가 경험하는 하루의 길이는 겨우 0.002초 차이 날 뿐이다.

1 현재 지구의 자전 주기는 얼마인지 적어보세요.

용어 풀이

- ☑ **산호(산호 珊, 산호 瑚)**
  바닷속에 살고 있는 나뭇가지 모양의 동물
- ☑ **성장선(이룰 成, 길 長, 줄 線)**
  물고기의 비늘이나 조개나 산호의 겉면에 있는 나이테와 비슷한 선으로, 성장의 흔적을 나타내며 이 선으로 나이를 추정할 수 있다.
- ☑ **원심력(멀 遠, 중심 心, 힘 力)**
  원운동하는 물체에 작용하는 원 바깥으로 나아가려는 가상의 힘

2 지구의 자전 속도는 위도에 따라 다릅니다. 적도에서는 1시간에 1,600 km, 위도 37°에 위치한 우리나라에서는 1시간에 1,337 km를 이동합니다. 항공기가 1시간에 900 km로 비행하는 것과 비교하면 지구의 자전 속도는 매우 빠릅니다. 그런데 우리는 지구의 자전을 느끼지 못합니다. 그 이유를 적어보세요.

손에 잡히는 STEAM

지구의 자전 속도는 얼마나 빠른가요?

▼

지구가 자전할 때 지구 위에 있는 물체와 대기는 어떻게 되나요?

▼

지구의 자전을 느끼지 못하는 이유는 무엇인가요?

논술형

3 달과 지구 사이에 작용하는 힘에 의해 지구의 바닷물은 적도 주변에 모여 있습니다. 이 바닷물이 지구의 자전을 방해하므로 자전 속도가 조금씩 느려지고 있습니다. 지금과 같이 지구의 자전 속도가 느려진다면 75억 년 후에는 지구의 자전이 멈출 것으로 예상됩니다. 지구의 자전이 멈춘다면 어떤 일이 생길지 <u>세 가지</u> 적어보세요.

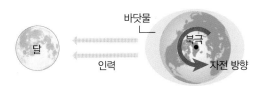

손에 잡히는 STEAM

지구의 자전으로 인해 생기는 현상은 무엇인가요?

▼

지구가 자전함으로서 발생하는 원심력이 가장 강한 곳은 어디인가요?

▼

지구의 자전이 멈춘다면 어떤 일이 생길까요?

인류 재앙

02 지구와 달의 공전

개념 더하기

1 지구의 공전

1. 일 년 동안 지구의 움직임 알아보기

★ **탐구** 일 년 동안 지구의 움직임 알아보기

탐구 과정

① 전등을 책상 위에 두고 지구의를 전등으로부터 약 30 cm 정도 떨어진 곳에 둔다.

② 지구의에서 우리나라를 찾고 인형을 붙인 후 전등을 켠다.

③ 전등을 중심으로 지구의를 (가)-(나)-(다)-(라)의 위치에 순서대로 옮겨 본다. 이때 지구의와 전등의 거리를 일정하게 유지하고, 지구의의 자전축이 언제나 같은 방향을 향하게 한다.

④ (가), (나), (다), (라) 각 위치에서 우리나라가 한밤이 되도록 지구의를 자전시키고, 인형에게 교실의 무엇이 보이는지 생각해본다.

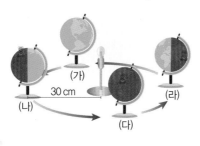
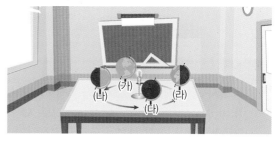

탐구 결과 및 결론

① 지구의를 전등을 중심으로 (가)-(나)-(다)-(라)의 위치에 순서대로 옮기는 것은 지구의 ⓐ_____을 의미한다.

② 지구의가 (가)의 위치에 있으면 한밤일 때 ⓑ_____이 보이고, (나)의 위치에 있으면 한밤일 때 ⓒ_____이 보이고, (다)의 위치에 있으면 한밤일 때 게시판이 보이고, (라) 위치에 있으면 한밤일 때 ⓓ_____이 보인다.

③ 지구의 자전과 공전 방향은 모두 서쪽에서 동쪽(시계 반대 방향)이다.

2. 지구의 공전

① 지구의 ⓔ_____ : 지구가 태양을 중심으로 일 년에 한 바퀴씩 서쪽에서 동쪽(시계 반대 방향)으로 회전하는 운동

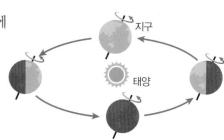

② 지구의 공전 방향 : ⓕ___쪽에서 ⓖ___쪽 (시계 반대 방향)으로 움직인다.

③ 지구의 공전 주기 : ⓗ_____

④ 지구가 태양 주위를 공전하면서 지구의 위치가 바뀌고, 그 위치에 따라 보이는 천체의 모습이 달라진다.

● **지구의 공전 주기**

지구가 태양을 공전하는 주기는 1년이며, 정확히 365.25641일 이다. 그러나 실제 달력에 반영 하는 1년의 길이는 365일로, 약 0.24일의 차이가 있다. 이 차이를 보정하기 위해 4년에 한 번씩 2월 29일, 즉 윤년이 있다.

용어 풀이

☑ **공전(공평할 公, 구를 轉)**
행성이 일정한 주기를 가지고 태양 둘레를 도는 운동

☑ **천체(하늘 天, 몸 體)**
우주에 존재하는 물체로, 항성(별), 행성, 위성, 혜성, 성단, 성운, 인공위성 등이 포함된다.

정답

ⓗ 1년 ⓖ 동
ⓕ 서 ⓔ 공전 ⓓ 칠판 ⓒ 시계
ⓑ 책장 ⓐ 공전 운동

2 계절에 따라 보이는 별자리

1. 계절별 별자리

① 봄철 별자리 : 목동자리, 처녀자리, ⓐ＿＿＿＿자리

② 여름철 별자리 : ⓑ＿＿＿＿자리, 거문고자리, 독수리자리

③ 가을철 별자리 : 안드로메다자리, 물고기자리, 페가수스자리

④ 겨울철 별자리 : 쌍둥이자리, 큰개자리, ⓒ＿＿＿＿＿자리

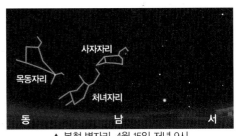

▲ 봄철 별자리, 4월 15일 저녁 9시

▲ 여름철 별자리, 7월 15일 저녁 9시

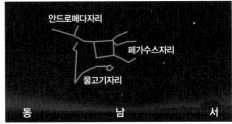

▲ 가을철 별자리, 10월 15일 저녁 9시

▲ 겨울철 별자리, 1월 15일 저녁 9시

2. 계절에 따라 볼 수 있는 별자리가 다른 이유

① 지구가 태양 주위를 ⓓ＿＿＿＿하므로 계절에 따라 지구의 위치가 달라지기 때문이다.

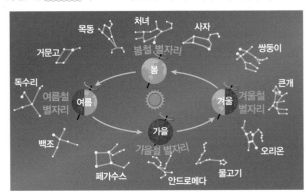

② 태양 반대편에 위치한 별은 잘 보이지만, 태양 쪽에 위치한 별은 태양 빛이 너무 밝아 볼 수 없다.

③ 별자리는 한 계절에만 보이지 않고 두 계절이나 세 계절에 걸쳐 보인다.

02 지구와 달의 공전

3. 여러 날 동안 달의 모양 변화

1. 여러 날 동안 달의 모양 변화

● 우리가 보는 달의 모양

우리가 보는 달의 모양은 태양 빛이 반사된 부분이므로, 달의 모양에서 더 둥근 쪽이 태양에 가까운 쪽이다.

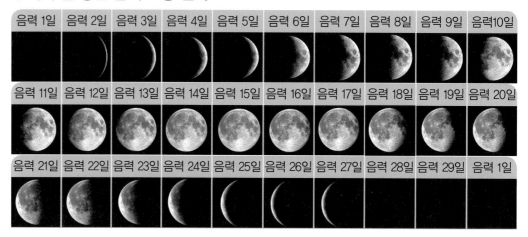

① 초승달, ⓐ_____ 달, 보름달, ⓑ_____ 달, 그믐달의 순서로 약 ⓒ_____ 마다 모양이 변한다.

초승달	상현달	보름달	하현달	그믐달
음력 2~3일	음력 7~8일	음력 15일	음력 22~23일	음력 27~28일

● 우리가 보는 달의 모습

달은 자전 주기와 공전 주기가 약 27.3일로 같아서 지구에서는 달의 한쪽 면만 볼 수 있다. 1959년 10월에 루나 3호가 최초로 달의 뒷면을 촬영했다.

▲ 달의 앞면   ▲ 달의 뒷면

★더 알아보기) 달의 모양이 변하는 이유

달이 지구 주위를 공전하기 때문에 달의 위치가 달라지면서 태양 빛을 받아 밝게 보이는 부분이 많아졌다가 적어지기를 반복하면서 달의 모양이 변한다. 또한, 달이 지구 주위를 공전하기 때문에 같은 시각, 같은 장소에서 달을 관찰하면 달의 위치가 조금씩 달라진다. 만약 달이 지구를 공전하지 않고 같은 자리에만 있다면, 달은 매일 같은 시각에 뜰 것이다.

• 보름달이 보일 때 태양, 지구, 달의 위치 : 태양－지구－달
• 달이 보이지 않을 때 태양, 지구, 달의 위치 : 태양－달－지구

☑ 음력(그늘 陰, 책력 曆)
달이 지구를 한 바퀴 도는 시간을 기준으로 만든 달력

정답
ⓒ 한 달 ⓑ 하현 ⓐ 상현

4 여러 날 동안 달의 위치 변화

1. 여러 날 동안 같은 시각, 같은 장소에서 달의 위치 관찰

▲ 음력 2일 저녁 7시 　　▲ 음력 7일 저녁 7시 　　▲ 음력 15일 저녁 7시

① 여러 날 동안 태양이 진 직후, 같은 시각에 같은 장소에서 달의 위치를 관찰하면

- **초승달** : ⓐ____ 쪽 하늘에서 보인다.
- **상현달** : ⓑ____ 쪽 하늘에서 보인다.
- **보름달** : ⓒ____ 쪽 하늘에서 보인다.

② 여러 날 동안 태양이 진 직후, 같은 시각에 같은 장소에서 달을 관찰하면 달의 위치는

　ⓓ____ 쪽에서 ⓔ____ 쪽으로 날마다 조금씩 옮겨 가면서 모양이 달라진다.

5 지구와 달의 운동 모형

1. 지구의 자전

① 지구가 자전축을 중심으로 하루에 한 바퀴씩 회전한다.

② 낮과 밤이 생기고, 하루 동안 태양, 달, 별의 위치가 달라진다.

2. 지구의 공전

① 지구가 태양을 중심으로 일 년에 한 바퀴씩 회전한다.

② 계절에 따라 보이는 ⓕ_____가 달라진다.

3. 달의 공전

① 달이 지구를 중심으로 약 한 달에 한 바퀴씩 회전한다.

② 여러 날 동안 관찰한 달의 ⓖ____이 달라진다.

★생활 속 과학　일식과 월식

- 일식은 달에 의해 태양이 가려지는 현상이다. 태양−달−지구가 나란할 때 일어난다.
- 월식은 지구의 그림자에 달이 들어가 달이 가려지는 현상이다. 태양−지구−달이 나란할 때 일어난다.

일식

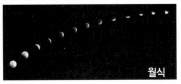
월식

개념 더하기

● **달이 뜨는 위치와 시각**

- **초승달** : 음력 3일 무렵 초저녁에 서쪽 하늘에서 잠깐 보이다가 바로 진다.
- **상현달** : 음력 8일 무렵 초저녁에 남쪽 하늘에 떠서 서쪽 하늘로 진다.
- **보름달** : 음력 15일 무렵 초저녁에 동쪽 하늘에 떠서 새벽에 서쪽 하늘로 진다.
- **하현달** : 음력 20일 무렵 자정 (밤 12시)에 동쪽 하늘에서 뜬다.
- **그믐달** : 음력 27일 무렵 새벽에 동쪽 하늘에서 뜬다.

● **여러 날 동안 같은 시각, 같은 장 소에서 달을 관측할 때 달이 서 쪽에서 동쪽으로 옮겨 가는 이유**

- 달이 서쪽에서 동쪽으로 공전 하므로 매일 위치가 동쪽으로 이동하기 때문이다.
- 같은 위치에서 다시 달을 보려면 달이 동쪽으로 움직인 만큼 지 구가 동쪽으로 자전을 해야 한다. 그 시간이 약 50분 정도 걸리므로 달이 뜨는 시각이 매일 50분씩 늦어진다.

용어 풀이

☑ **일식(날 日, 갉아 먹을 蝕)**
　달이 태양을 가림

☑ **월식(달 月, 갉아 먹을 蝕)**
　달이 지구 그림자에 가려짐

정답

ⓐ 서 ⓑ 남 ⓒ 동 ⓓ 서
ⓔ 동 ⓕ 별자리 ⓖ 모양

개념기르기

[01~02] 다음은 전등을 중심으로 자전축이 같은 방향을 향하도록 지구의를 (가)~(라) 위치에 순서대로 옮기는 모습입니다.

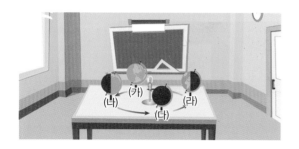

01 각 위치에서 우리나라가 한밤이 되도록 지구의를 자전시켰을 때 인형에게 보이는 교실의 물체로 옳게 짝지어진 것은 어느 것입니까? ( )

① (가)−출입문
② (나)−창문
③ (다)−칠판
④ (라)−게시판
⑤ 모든 위치에서 칠판만 볼 수 있다.

02 이 실험에 대한 설명으로 옳은 것을 모두 고르세요. (,)

① 지구의 공전 방향은 동쪽에서 서쪽이다.
② 지구의 공전 방향은 서쪽에서 동쪽이다.
③ 우리나라가 태양 쪽을 향할 때는 한밤이다.
④ 지구의를 전등을 중심으로 (가)~(라) 위치에 순서대로 옮기는 것은 지구의 공전을 의미한다.
⑤ 지구의를 전등을 중심으로 (가)~(라) 위치에 순서대로 옮기는 것은 지구의 자전을 의미한다.

중요

03 다음 중 지구의 공전에 대한 설명으로 옳은 것은 어느 것입니까? ( )

① 달이 태양을 중심으로 회전하는 것
② 지구가 달을 중심으로 회전하는 것
③ 지구가 태양을 중심으로 회전하는 것
④ 태양이 지구를 중심으로 회전하는 것
⑤ 지구가 자전축을 중심으로 회전하는 것

신유형

04 다음 그림에서 봄철에 볼 수 없는 별자리는 어느 것입니까? ( )

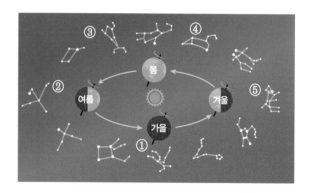

05 다음 중 여름철에 관찰할 수 있는 대표적인 별자리로 옳게 짝지어진 것은 어느 것입니까? ( )

① 목동자리, 백조자리, 오리온자리
② 처녀자리, 사자자리, 목동자리
③ 백조자리, 거문고자리, 독수리자리
④ 사자자리, 물고기자리, 큰개자리
⑤ 사자자리, 오리온자리, 독수리자리

06 다음 중 계절에 따라 보이는 별자리가 달라지는 이유로 옳은 것은 어느 것입니까? ( )

① 별자리가 지구 주위를 돌기 때문이다.
② 밤에는 태양이 움직임을 멈추기 때문이다.
③ 별자리의 별들이 스스로 빛을 내기 때문이다.
④ 지구가 태양 주위를 공전하면서 지구의 위치가 달라지기 때문이다.
⑤ 태양이 지구 주위를 공전하면서 별자리의 위치가 달라지기 때문이다.

[07~08] 다음은 약 한 달 동안 관찰한 달의 모양을 순서 없이 나타낸 것입니다.

ⓐ   ⓑ   ⓒ   ⓓ   ⓔ

07 다음 중 ㉠~㉤ 모양에 해당하는 달의 이름을 바르게 짝지은 것은 어느 것입니까? ( )

① ㉠ - 상현달
② ㉡ - 그믐달
③ ㉢ - 초승달
④ ㉣ - 하현달
⑤ ㉤ - 보름달

08 음력 4월 15일에 보름달을 관찰했습니다. 7일 전인 4월 8일에 관찰할 수 있는 달의 모양은 어느 것입니까? ( )

① ㉠
② ㉡
③ ㉢
④ ㉣
⑤ ㉤

신유형
09 여러 날 동안 태양이 진 직후, 같은 시각에 같은 장소에서 달을 관찰했습니다. 관찰할 수 있는 달의 모양과 위치로 옳은 것은 어느 것입니까? ( )

① 초승달 - 동쪽 하늘
② 상현달 - 남쪽 하늘
③ 보름달 - 서쪽 하늘
④ 하현달 - 남쪽 하늘
⑤ 그믐달 - 서쪽 하늘

중요
10 여러 날 동안 해가 진 직후, 같은 시각에 같은 장소에서 관찰한 달의 모양과 위치를 기록한 결과입니다. 이를 보고 알 수 있는 사실로 옳은 것은 어느 것입니까? ( )

음력 15일
음력 7일
음력 2일
동   서

① 달이 조금씩 작아진다.
② 달이 서쪽에서 동쪽으로 조금씩 옮겨간다.
③ 우리 눈에는 달의 왼쪽부터 점점 밝아진다.
④ 저녁 이후에 달을 가장 오래 동안 관찰할 수 있는 날은 음력 2일이다.
⑤ 달의 모양이 매일 조금씩 바뀌는 이유는 지구가 태양 주위를 공전하기 때문이다.

11 다음은 지구와 달의 운동 모형입니다. 이에 대한 설명으로 옳지 <u>않은</u> 것은 어느 것입니까? ( )

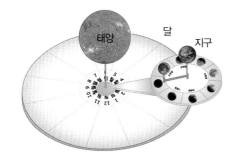

태양   달   지구

① 지구는 자전하면서 동시에 공전한다.
② 달이 자전하기 때문에 낮과 밤이 생긴다.
③ 지구가 공전하기 때문에 계절에 따라 보이는 별자리가 달라진다.
④ 달이 공전하기 때문에 여러 날 동안 관찰한 달의 모양이 달라진다.
⑤ 지구의 자전은 자전축을 중심으로, 지구의 공전은 태양을 중심으로 회전한다.

서술형으로 다지기

손에 잡히는 문제 해결

지구의 공전이란 무엇인가요?

▼

지구는 어떤 방향으로 공전하나요?

▼

지구가 공전하는 데 걸리는 시간은
어느 정도인가요?

01 지구가 태양 주위를 일 년에 한 바퀴씩 도는 것을 지구의 공전이라고 합니다. 지구의
공전 방향을 화살표로 표시하고, 지구의 공전으로 인해 나타나는 현상을 <u>두 가지</u>
적어보세요.

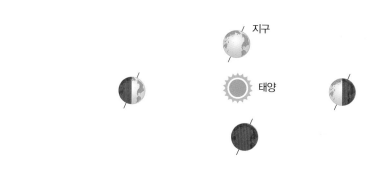

손에 잡히는 문제 해결

지구가 자전하기 때문에
나타나는 현상은 무엇인가요?

▼

지구가 공전하기 때문에
나타나는 현상은 무엇인가요?

▼

달이 공전하기 때문에
나타나는 현상은 무엇인가요?

02 다음은 은혜가 달의 공전과 지구의 자전과 공전에 관한 여러 가지 과학 현상을 정리
한 것입니다. 이 중 옳지 <u>않은</u> 것을 찾고, 그렇게 생각한 이유를 적어보세요.

> **[지구의 자전과 공전에 관한 과학 현상]**
> ㉠ 지구가 자전하기 때문에 낮과 밤이 생긴다.
> ㉡ 지구가 공전하기 때문에 달의 모양이 변한다.
> ㉢ 보름달에서 다음 보름달이 되기까지 걸리는 시간은 약 한 달이다.
> ㉣ 여름철 밤하늘에서는 여름철 별자리뿐만 아니라 봄철 별자리와 가을철
>   별자리도 볼 수 있다.

03 정운이는 약 한 달 동안 동일한 장소에서 매일 밤 달이 뜨는 시각을 관찰한 결과, 보름달이 뜬 이후에는 달이 매일 약 50분씩 늦게 뜬다는 것을 알게 되었다. 태양, 지구, 달의 위치와 움직임을 바탕으로 매일 달이 뜨는 시각이 늦어지는 이유를 적어보세요.

▲ 음력 8월 15일

▲ 음력 8월 16일

손에 잡히는 문제 해결

달이 뜨고 지는 이유는
무엇 때문인가요?

▼

달은 지구 주위에서
어떤 운동을 하나요?

▼

달이 운동하는 동안
지구는 어떤 운동을 하나요?

04 지구는 자전축을 중심으로 하루에 한 바퀴씩 자전하면서 태양을 중심으로 일 년에 한 바퀴씩 공전하고 있습니다. 만약 지구가 자전하지 않고 공전만 한다면 어떤 현상이 나타날지 두 가지 적어보세요.

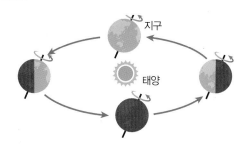

손에 잡히는 문제 해결

지구가 자전하기 때문에
나타나는 현상은 무엇인가요?

▼

지구가 공전하기 때문에
나타나는 현상은 무엇인가요?

▼

지구가 공전하기 때문에 나타나는
현상 중 지구 자전의 영향을 받는
것은 무엇이 있나요?

융합사고력 키우기

STEAM ✨

- ✓ **Science**
  ▶ 달
- ✓ **Technology**
  ▶ 소행성 관측
- ☐ **Engineering**
- ☐ **Art**
- ✓ **Mathematics**
  ▶ 확률

달은 하나가 아니다?

천문학자들은 지구에 두 개 이상의 달이 있다고 믿고 있다. 우리가 밤하늘에서 볼 수 있는 달 외에 눈에 보이지 않은 또 다른 달이 있다는 것이다. 아직은 관측 장비 성능의 한계로 확인할 수는 없지만, 이론적으로는 존재할 수밖에 없다고 본다.

과학자들이 눈에 보이지 않는 또 다른 달로 추정하는 것은 승용차 크기의 아주 작은 소행성이다. 과학자들은 태양계에 존재하는 소행성의 숫자와 분포를 고려하면 최소 3 m 이상 크기의 바위가 하나 이상 지구를 돌고 있을 것으로 추정한다. 이들 바위(소행성)는 지구 궤도를 매우 크게 공전하다가 순간 우주로 떨어져 나갈 것이다. 밤하늘에 보이는 달과 같이 지구의 영원한 달은 아니지만, 적어도 이 소행성이 지구 궤도를 돌 때는 일시적이긴 하지만 지구의 달인 것은 틀림없다.

크루이냐는 위성이라고 부르기에는 조금 애매한 준위성이다. 1997년에 지구의 두 번째 위성으로 공식 인정되었다. 그러나 크기가 너무 작고 소멸할 가능성이 높으며, 지구뿐만 아니라 금성, 화성, 목성, 수성의 인력을 받으면서 공전하여 준위성으로 내려가게 되었다.

두 번째 달

1 달을 관찰하면 달 표면 무늬는 항상 같은 모습으로 보입니다. 그 이유를 적어보세요.

달의 모습

용어 풀이

☑ **천문학자**(하늘 天, 글월 文, 배울 學, 사람 者)
우주와 천체의 온갖 현상과 그와 관련된 법칙을 연구하는 학자

☑ **지구 궤도**(땅 地, 공 球, 바퀴 자국 軌, 길 道)
태양의 둘레를 공전하는 지구의 타원 운동 궤도

☑ **준위성**(준할 準, 지킬 衛, 별 星)
행성 근처에서는 행성 주위를 공전하지만, 찌그러진 만두 같은 궤도로 공전하며 태양에서 멀어졌다 가까워지기를 반복하는 것처럼 보이는 천체

2 달은 약 한 달을 주기로 지구 주위를 돌고 있습니다. 이것을 달의 공전이라고 합니다. 달이 지구 주위를 공전하기 때문에 나타나는 현상을 <u>두 가지</u> 적어보세요.

●   ●

🔍 손에 잡히는 STEAM

달이 공전하면 지구에서 달을 볼 때 모습이 어떻게 달라지나요?

↓

바닷물이 달의 인력을 받으면 어떻게 되나요?

↓

태양-지구-달 또는 태양-달-지구 처럼 세 가지 천체가 일렬로 늘어서면 어떤 일이 일어나나요?

논술형

3 천문학자들의 예상대로 달을 제외한 또 다른 위성이 반드시 존재한다고 가정해 봅시다. 다른 위성의 존재가 아직 밝혀지지 않는 이유를 적어보세요.

●   ●

 손에 잡히는 STEAM

달을 제외한 위성의 크기는 어느 정도일까요?

↓

지구 주변의 모든 소행성을 발견할 수 있을까요?

↓

다른 위성이 발견되지 않는 이유는 무엇일까요?

별자리판

밤하늘의 별자리 위치만 안다면 동서남북의 방위를 알 수 있습니다. 별자리판을 만들어 주요 별자리를 찾아보고, 별자리의 움직임에 대해 알아보세요.

준비물

별자리판 1, 2, 3 부록 (교재 105~109), 가위, 풀

탐구 과정

① 별자리판 2와 3을 접은 후 풀로 붙여 봉투 모양으로 만든다.

② 별자리판 1을 별자리판 2와 3 사이에 넣고 돌려 오늘 날짜와 현재 시각을 맞춘다.

③ 북쪽을 바라보고 선 후 별자리판을 하늘로 들어올려 별자리를 관측한다.

별자리판

주의사항

• 별은 달이 없고 해가 진 후 2시간 후에 주변에 불빛이 없는 곳에서 관찰하는 것이 좋다.

• 밤하늘의 별자리는 생각보다 크기 때문에 넓게 관측한다.

• 너무 밝은 손전등은 눈이 어두운 불빛에 적응하는 데 방해가 될 수 있으므로 빨간색 셀로판지로 전등 앞부분을 가리는 것이 좋다.

1 1월 20일 21시와 23시 밤하늘의 별자리의 위치를 관찰하고 하룻밤 동안 별자리가 시간에 따라 달라지는 이유를 적어보세요.

2 1월 20일, 4월 20일, 7월 20일, 10월 20일 21시에 남쪽 하늘에서 볼 수 있는 대표적인 별자리를 적어보세요.

1월 20일 21시	
4월 20일 21시	
7월 20일 21시	
10월 20일 21시	

3 매일 21시에 볼 수 있는 별자리가 계절에 따라 달라지는 이유를 적어보세요.

STEAM

4 서양에서는 하늘을 대우주, 인간을 소우주라고 생각하여 사람이 태어난 날짜와 시각에 해당하는 천체의 위치로 개인의 장래나 성격을 예측할 수 있다고 믿었습니다. 고대 문명인이 태양신을 숭배한 것처럼 생일 별자리는 내 생일에 태양의 기운을 가장 많이 받는 별자리라는 의미입니다. 그러나 내 생일에는 생일 별자리를 볼 수 없습니다. 그 이유를 적어보세요.

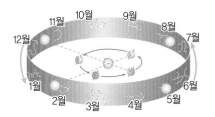

II 여러 가지 기체

이 단원의 주요 내용

기체 발생 실험을 통해 생성된 산소와
이산화 탄소를 이용하여 각각의 기체가 가지는
성질을 탐색해 본다. 압력과 기체 부피 사이의
관계, 온도와 기체 부피 사이의
관계를 이해한다.

★ 2015 개정 교육과정 교과서

　초등 5~6학년 군 :
　　　6학년 1학기 3단원 여러 가지 기체

★ 다른 학년과의 연계

　초등 3~4학년 군 : 물질의 상태
　초등 5~6학년 군 : 연소와 소화
　중학교 1~3학년 군 : 기체의 성질,
　　　　　　화학 반응의 규칙과 에너지 변화

03 기체의 종류와 성질

1 산소

1. 기체 발생 장치 만들기

① 깔때기에 짧은 고무관을 끼우고 스탠드의 링에 설치한다.

② 깔때기에 연결한 고무관에 핀치 집게를 끼운다.

③ 유리관을 끼운 고무마개로 가지 달린 삼각 플라스크의 입구를 막는다.

④ 깔때기에 연결한 고무관을 고무마개에 끼운 유리관과 연결한다.

⑤ 가지 달린 삼각 플라스크의 가지 부분에 긴 고무관을 끼우고, 고무관 끝에 ㄱ자 유리관을 연결한다.

⑥ 물을 $\frac{2}{3}$ 정도 담은 수조에 물을 가득 채운 집기병을 거꾸로 세운다.

⑦ ㄱ자 유리관을 집기병 입구에 둔다.

2. 산소 발생시키기

★ **탐구** 　산소 발생시키기

탐구 과정

① 가지 달린 삼각 플라스크에 물을 조금 넣은 다음, 이산화 망가니즈를 한 숟가락 넣는다.

② 기체 발생 장치를 꾸민다.

③ 깔때기에 묽은 과산화 수소수를 절반 정도 붓는다.

④ 핀치 집게를 조절하면서 묽은 과산화 수소수를 아래로 조금씩 흘려 보낸다.

⑤ 물속에서 집기병에 산소를 모으고 가득 차면 유리판으로 집기병의 입구를 막아 꺼낸다.

탐구 결과 및 결론

① 묽은 과산화 수소수와 이산화 망가니즈가 반응하면 삼각 플라스크에서 ⓐ＿＿＿＿＿가 발생한다.

② 반응이 일어나는 동안 삼각 플라스크가 따뜻해진다.

③ 집기병 속의 물이 내려가고 ⓑ＿＿＿＿＿가 모아진다.

3. 산소의 성질 알아보기

🔬 탐구 과정

① 산소가 든 집기병 뒤에 흰 종이를 대고 색깔을 관찰한다.

② 산소가 든 집기병의 유리판을 열고 손으로 바람을 일으켜 냄새를 맡아본다.

③ 산소가 든 집기병 속에 향불을 넣어 불꽃의 변화를 관찰한다.

흰 종이 / 향불

🔬 실험 결과 및 결론

① 산소는 ⓐ_____ 투명하다.

② 산소는 냄새가 나지 않는다.

③ 향불이 더 ⓑ_____ 타고 불꽃이 일어난다.

산소를 발생시키는 데 필요한 물질	ⓒ_____ , ⓓ_____
산소의 성질	• 색깔과 냄새가 없다. • 스스로 타지 않지만, 다른 물질을 잘 타게 도와준다. • 금속을 녹슬게 한다.

4. 생활 속에서 산소가 이용되는 예

① 응급 환자의 산소 호흡 장치에 이용된다.

② 잠수부, 소방관, 우주 비행사들이 호흡을 하기 위한 압축 공기통에 이용된다.

③ 산소캔에 이용된다.

④ 금속을 용접하거나 절단할 때 이용한다.

⑤ 연료를 태워 추진력을 얻을 때 이용한다.

▲ 응급 환자 호흡 장치   ▲ 잠수부 압축 공기통   ▲ 산소캔   ▲ 금속 용접   ▲ 로켓 연료 연소

개념 더하기

● **산소에서 향불의 반응**

향불이 밝게 잘 탄다.

● **산소를 발생시키는 다른 방법**

강판에 감자를 간 뒤 산소계 표백제와 함께 지퍼 백에 넣고 공기를 뺀 뒤 입구를 막는다. 두세 시간이 지나면 산소 기체가 발생하여 지퍼 백이 부풀어 오른다.

▲ 반응 전   ▲ 반응 후

용어 풀이

☑ **향불**
향을 태우는 불

☑ **용접(녹일 鎔, 이을 接)**
금속을 녹여서 서로 연결하는 것

🚩 정답

ⓐ 무색(으로) ⓑ 밝게

ⓒ 과산화 수소수

ⓓ 이산화 망가니즈

개념 더하기

● **탄산 칼슘**

대리석, 방해석, 석회석, 조개껍데기, 달걀 껍데기, 산호의 성분이다.

● **묽은 염산**

산성 용액으로 대리석, 달걀 껍데기와 같은 탄산 칼슘이 들어 있는 물질을 녹인다.

● **이산화 탄소 발생 장치**

● **이산화 탄소 성질**

• 향불이 꺼진다.
• 석회수가 뿌옇게 흐려진다.

▲ 향불   ▲ 석회수

용어 풀이

☑ **이산화 탄소**

생물이 호흡할 때 생기는 기체로 공기 중에 0.03 % 포함되어 있다.

 정답

ⓐ 탄산 ⓑ 기체 ⓒ 없
ⓓ 꺼지 ⓔ 이산화 탄소
ⓔ 뿌옇

---

2 이산화 탄소

1. 이산화 탄소 발생시키기

★ **탐구** 이산화 탄소 발생시키기

탐구 과정

① 가지 달린 삼각 플라스크에 물을 조금 넣은 다음, 탄산 칼슘을 서너 숟가락 넣는다.
② 기체 발생 장치를 만든다.
③ 깔때기에 묽은 염산을 절반 정도 붓는다.
④ 핀치 집게를 조절하면서 묽은 염산을 아래로 조금씩 흘려 보낸다.
⑤ 물속에서 집기병에 이산화 탄소를 모으고 가득 차면 유리판으로 집기병의 입구를 막아 꺼낸다.

물 탄산 칼슘   묽은 염산   유리판

탐구 결과 및 결론

① 묽은 염산이 탄산 칼슘과 만나면 삼각 플라스크에서 ⓐ＿＿＿＿가 발생한다.
② 집기병 속의 물이 내려가고 ⓑ＿＿＿＿＿＿＿가 모아진다.

2. 이산화 탄소 성질 알아보기

★ **탐구** 이산화 탄소의 성질 알아보기

탐구 과정

① 이산화 탄소가 든 집기병 뒤에 흰 종이를 대고 색깔을 관찰한다.
② 이산화 탄소가 든 집기병의 유리판을 열고 손으로 바람을 일으켜 냄새를 맡아본다.
③ 이산화 탄소가 든 집기병 속에 향불을 넣어 불꽃의 변화를 관찰한다.
④ 이산화 탄소가 든 집기병에 석회수를 조금 넣고 흔들면서 나타나는 변화를 관찰한다.

흰 종이   향불   석회수

실험 결과 및 결론

① 이산화 탄소는 색깔과 냄새가 ⓒ＿＿＿다.
② 이산화 탄소는 향불을 ⓓ＿＿＿게 한다.
③ 이산화 탄소는 석회수를 ⓔ＿＿＿게 흐리게 한다.

이산화 탄소를 발생시키는 데 필요한 물질	ⓐ_____, ⓑ_____
이산화 탄소의 성질	• 색깔과 냄새가 없다. • 물질이 타는 것을 막는다. • 석회수를 뿌옇게 흐리게 한다.

3. 이산화 탄소를 발생시키는 또 다른 방법

① 탄산음료에서 이산화 탄소를 모은다.

② 드라이아이스에서 이산화 탄소를 모은다.

③ 달걀 껍데기와 식초를 반응시킨다.

④ 탄산수소 나트륨과 식초를 반응시킨다.

⑤ 대리석과 묽은 염산을 반응시킨다.

탄산음료

묽은 염산
탄산 칼슘

4. 생활 속에서 이산화 탄소가 이용되는 예

① 불을 끄는 소화기의 재료로 이용된다.

② 드라이아이스를 만드는 데 이용된다. ➡ 드라이아이스는 냉각제로 사용된다.

③ 탄산음료를 만드는 재료로 이용된다.

④ 액체 소화제를 만드는 재료로 이용된다.

⑤ 식물이 광합성할 때 이용한다.

▲ 소화기 ▲ 드라이아이스

▲ 탄산음료

▲ 액체 소화제

▲ 식물 광합성

★생활 속 과학 드라이아이스

이산화 탄소를 압축해서 냉각하면 흰색 고체로 변하는데, 이 고체를 드라이아이스라고 한다. 드라이아이스는 아이스크림 가게에서 많이 사용된다. 얼음은 시간이 지나면 금방 녹아 물로 변하지만, 드라이아이스는 곧바로 기체로 변하므로 얼음보다 차가운 온도를 유지할 수 있기 때문이다. 드라이아이스가 녹아 기체로 변할 때 주변에 하얀 김이 서린다. 이것은 드라이아이스가 기체로 변한 이산화 탄소의 온도가 매우 낮기 때문에 주변의 수증기가 물방울로 바뀌어 하얗게 보이는 것이다. 즉, 하얀 김은 이산화 탄소가 아니라 주변의 수증기가 변한 물방울이다. 드라이아이스를 맨손으로 잡으면 피부 조직이 손상되므로 장갑을 끼고 다뤄야 한다.

개념 더하기

● 산소와 이산화 탄소를 물속에서 모으는 이유

• 산소와 이산화 탄소는 물에 매우 조금만 녹기 때문이다.

• 공기와 섞이지 않은 순수한 기체를 모을 수 있기 때문이다.

• 기체가 얼마나 모였는지 확인할 수 있기 때문이다.

● 액체 소화제 안의 이산화 탄소

탄산음료처럼 시원한 청량감을 느끼게 하고 이산화 탄소가 몸 속으로 들어와 소화가 잘 되도록 돕는다.

용어 풀이

☑ 광합성(빛 光, 합할 合, 이룰 成)
식물이 이산화 탄소와 물, 빛을 이용하여 양분과 산소를 만드는 작용

정답

ⓐ 탄산 칼슘 ⓑ 묽은 염산

개념기르기

[01~04] 다음은 산소 발생 장치 장치입니다.

물 이산화 망가니즈 과산화 수소수

01 산소가 발생될 때 나타나는 현상으로 옳은 것을 <u>모두</u> 고르세요. (,)

① 삼각 플라스크 안의 물이 없어진다.
② 삼각 플라스크 안에서 기포가 생긴다.
③ 수조 안의 물 높이가 낮아진다.
④ 집기병에 산소가 모인다.
⑤ 집기병이 따뜻해진다.

02 산소가 발생할 때 집기병 안의 물이 점점 내려가는 이유로 옳은 것은 어느 것입니까? ( )

① 집기병 안의 산소가 사라졌기 때문이다.
② 집기병 안의 산소가 물에 녹았기 때문이다.
③ 수조의 물이 집기병 안의 물을 끌어당기기 때문이다.
④ 집기병 안에 산소가 모이면서 물을 밀어내기 때문이다.
⑤ 집기병 안에 산소가 모여도 물을 밀어내지 못하기 때문이다.

03 산소 발생 장치에서 이산화 망가니즈의 역할을 바르게 설명한 것은 어느 것입니까? ( )

① 산소가 물에 녹지 않게 한다.
② 산소가 천천히 발생하게 한다.
③ 깨끗한 산소가 발생되게 한다.
④ 과산화 수소가 반응하지 않도록 도와준다.
⑤ 과산화 수소가 산소를 발생하도록 도와준다.

04 다음 중 집기병 안에 모아진 기체가 산소인지 확인하는 방법으로 가장 적당한 것은 어느 것입니까?
( )

① 이산화 망가니즈를 넣어 본다.
② 석회수를 넣고 흔들어 본다.
③ 향불을 넣어 본다.
④ 냄새를 맡아본다.
⑤ 색깔을 확인해 본다.

05 다음 중 산소에 대한 설명으로 옳은 것은 어느 것입니까? ( )

① 공기를 오염시킨다.
② 식물의 광합성에 이용된다.
③ 소화기를 만들 때 이용한다.
④ 금속을 녹슬게 한다.
⑤ 석회수를 뿌옇게 흐리게 한다.

06 다음 중 산소의 성질을 모두 고른 것은 어느 것입니까? ( )

> **보기**
> ㉠ 색깔이 없다.
> ㉡ 물질이 타는 것을 막는다.
> ㉢ 다른 물질을 잘 타게 도와준다.
> ㉣ 물에 잘 녹는다.
> ㉤ 냄새가 없다.

① ㉠, ㉡ ② ㉠, ㉢, ㉣ ③ ㉠, ㉡, ㉢
④ ㉠, ㉢, ㉤ ⑤ ㉡, ㉣, ㉤

07 다음 〈보기〉에서 공통으로 사용하는 기체는 무엇입니까? ( )

보기
㉠ 높은 산을 오를 때
㉡ 로켓을 발사할 때
㉢ 병원에서 응급 환자를 치료할 때
㉣ 공장에서 용접할 때

① 수소　　② 산소　　③ 질소
④ 헬륨　　⑤ 이산화 탄소

[08~10] 다음은 어떤 기체의 발생 장치입니다.

물　탄산 칼슘　묽은 염산

08 이 실험에서 발생하는 기체를 물속에서 모으는 이유로 옳지 <u>않은</u> 것을 <u>모두</u> 고르세요. (,)

① 기체가 물보다 무겁기 때문에
② 기체가 물에 잘 녹지 않기 때문에
③ 기체가 물속에서 더 많이 발생하기 때문에
④ 기체를 공기와 섞이지 않게 모을 수 있기 때문에
⑤ 집기병에 모인 기체의 양을 확인할 수 있기 때문에

09 집기병에 모아진 기체에 향불을 넣을 때의 변화로 옳은 것은 어느 것입니까? ( )

① 향불이 커진다.
② 향불이 꺼진다.
③ 향불이 튀면서 탄다.
④ 아무런 변화가 없다.
⑤ 향불이 더 밝게 탄다.

10 집기병에 모아진 기체에 대한 설명 중 옳지 <u>않은</u> 것은 어느 것입니까? ( )

① 색깔과 냄새가 없다.
② 물질이 타는 것을 막는다.
③ 석회수를 뿌옇게 흐리게 한다.
④ 식물이 광합성할 때 이용한다.
⑤ 연료를 태워 추진력을 얻을 때 이용한다.

11 다음 중 이산화 탄소가 우리 생활에 유용하게 이용되는 경우로 옳은 것을 <u>모두</u> 고르세요. (,)

①
②
③
④
⑤

신유형
12 다음 중 두 물질을 반응시켰을 때 발생하는 기체 중 성질이 다른 것은 어느 것입니까? ( )

① 대리석+묽은 염산
② 달걀 껍데기+식초
③ 탄산 칼슘+묽은 염산
④ 탄산수소 나트륨+식초
⑤ 과산화 수소+이산화 망가니즈

#

손에 잡히는 문제 해결

산소의 성질은 무엇인가요?

▼

기체의 무게에 따라 기체를 모으는
방법이 어떻게 다른가요?

▼

기체를 모으는 각 방법의
장점은 무엇인가요?

01 다음은 기체를 모으는 장치 (가), (나), (다)를 나타낸 것입니다. (가)~(다) 중 산소 기체를 모을 때 사용하기 좋은 장치를 고르고, 그 장치를 고른 이유를 두 가지 적 어보세요.

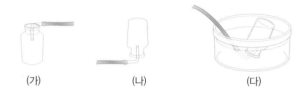

(가)   (나)   (다)

손에 잡히는 문제 해결

산소계 표백제는 무엇인가요?

▼

산소계 표백제와 고구마를 섞으면
어떻게 되나요?

▼

고구마의 역할은 무엇인가요?

02 고구마와 산소계 표백제를 이용하면 손난로를 만들 수 있습니다. 다음 글을 읽고 고구마의 역할을 추리하여 적어보세요.

> • 고구마를 강판에 갈아 지퍼 백에 넣은 후 산소계 표백제를 넣는다.
> • 지퍼 백을 닫고 계속 주물러 주면 40 ℃ 정도의 열이 난다.
> • 고구마 손난로는 3시간 정도 사용할 수 있다.

고구마 손난로

03 공기 중에는 산소가 약 21 % 정도 있습니다. 만약 공기 중에 산소의 양이 지금보다 더 많아진다면 나타날 수 있는 현상을 <u>세 가지</u> 적어보세요.

산소는 어떤 성질이 있나요?

▼

우리 생활에서 산소는
어떻게 이용되나요?

▼

산소의 양이 지금보다
더 많아진다면 어떻게 되나요?

04 다음 그림과 같이 가지 달린 삼각 플라스크에 드라이아이스 조각을 넣고 가지 부분에 긴 고무관과 ㄱ자 유리관을 연결하였습니다. ㄱ자 유리관 끝을 키가 다른 촛불 3개가 세워진 수조 바닥에 넣었습니다. 시간이 지난 후 나타나는 변화를 그 이유와 함께 적어보세요.

드라이아이스

드라이아이스는 무엇인가요?

▼

ㄱ자 유리관 끝에서 나오는
기체는 무엇인가요?

▼

ㄱ자 유리관 끝에서 나오는 기체는
어떤 성질이 있나요?

STEAM ✦

- ✓ **Science**
  - ▶ 지구 온난화
- ✓ **Technology**
  - ▶ 온실 기체
- ✓ **Engineering**
- ☐ **Art**
- ☐ **Mathematics**

지구 온난화의 원인은?

투발루는 남태평양 적도 부근에 크고 작은 9개의 산호초로 이루어진 세계에서 4번째로 작은 섬나라이다. 그런데 지구 온난화로 해수면이 상승하여 9개의 섬 중에서 2개가 사라졌다. 이대로라면 2060년 쯤에 투발루는 완전히 바닷속에 잠기게 된다.

▲ 가운데 부분이 물에 잠긴 투발루 푸나푸티섬

지구의 평균 온도는 지난 100년 동안 0.74 ℃나 높아졌다. 체온이 1~2 ℃만 올라도 인간이 몸져눕는 것과 같이 0.74 ℃의 온도 상승은 지구의 기상체계를 뒤죽박죽으로 만들어버렸다. 유럽의 폭염, 미국의 대형 허리케인, 아프리카의 최악의 가뭄, 잦은 태풍과 폭우, 폭설 등 지구에서 일어나는 기상이변이 예사롭지 않다. 이와 같은 기후 변화를 일으키는 기체가 온실 기체이다. 온실 기체가 대기 중에 너무 많이 방출되면 지구 밖으로 나가야 할 복사 에너지가 대기 중에 갇혀 마치 이불을 여러 겹 쌓은 듯 지구의 온도가 올라간다. 지구의 온도가 높아지면 어떤 일이 일어날까?

① 삼림 분포 지역이 광범위하게 없어져 생태계의 균형이 깨진다.

② 대부분 지역에서 물 부족 현상이 일어날 것이다.

③ 세계적으로 기후대가 변하여 식량 생산량이 점점 감소될 것이다.

지구 온난화 ①

④ 남극 지역의 빙하가 녹아서 2100년까지 해수면이 약 50 cm 증가할 것으로 예측된다. 우리 나라의 경우 경사가 완만한 서해안과 남해안에서는 침수가 우려된다.

⑤ 더위로 인한 스트레스와 질병이 두 배 정도 증가하며, 말라리아와 같은 열대성 질병이 고위도 지방으로 확산되어 우리 나라에서도 열대성 질병이 나타날 수 있다.

1 지구의 온도를 높이는 기체를 무엇이라고 하는지 적어보세요.

용어 풀이

☑ **지구 온난화**(땅 地, 공 球, 따뜻할 溫, 따뜻할 暖, 될 化)
지구의 기온이 높아지는 현상

☑ **온실 기체**(따뜻한 溫, 집 室, 공기 氣, 몸 體)
지구 복사 에너지가 밖으로 빠져나가는 것을 막는 기체

☑ **복사 에너지**
물체에서 방출되는 에너지

2 온실 기체에는 프레온 가스, 일산화 이질소, 이산화 탄소, 메테인 등 여러 가지가 있지만, 지구 온난화의 주원인은 이산화 탄소입니다. 다음 표를 바탕으로 이산화 탄소가 지구 온난화의 주원인인 이유를 적어보세요.

온실 기체	프레온 가스	일산화 이질소	이산화 탄소	메테인
온실 효과 기여도	6000	290	1	21
산업혁명 이전 대기 중 농도(ppm)	0	0.285	280	0.8
산업혁명 이후 대기 중 농도(ppm)	0.001	0.31	354	1.72

 손에 잡히는 STEAM

지구 온난화란 무엇인가요?

⬇

대기 중 온실 기체와 지구 온난화는 어떤 관계가 있나요?

⬇

대기 중에 가장 많은 온실 기체는 무엇인가요?

논술형

3 지구 온난화를 늦출 수 있는 생활 습관 다섯 가지를 적어보세요.

 **손에 잡히는 STEAM**

지구 온난화의 원인은 무엇인가요?

▼

지구 온난화의 원인이 되는 요인을 줄일 수 있는 방법은 무엇인가요?

▼

내가 실천 할 수 있는 생활 습관으로는 무엇이 있을까요?

지구 온난화 ②

04 기체의 부피 변화

1 압력 변화에 따른 기체의 부피 변화

개념 더하기

1. 압력 변화에 따른 부피 변화 관찰하기

★탐구 ▎ 압력 변화에 따른 부피 변화 관찰하기

탐구 과정

① 일회용 스포이트에 약간의 공간을 남기고 물로 채운 뒤 끝부분을 손가락으로 막는다.

② 일회용 스포이트의 꼭지 부분을 손가락으로 누르면서 공기의 부피를 관찰한다.

③ 주사기 두 개에 각각 공기 40 mL, 물 40 mL는 넣는다.

④ 주사기 입구를 손으로 막고 피스톤을 약하게 누를 때와 세게 누를 때 부피 변화를 관찰한다.

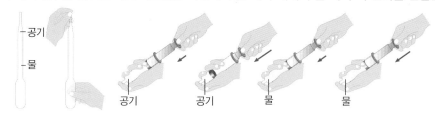

탐구 결과 및 결론

① 일회용 스포이트 끝부분을 막고 꼭지 부분을 누르면 물기둥이 위로 올라오고 공기의 부피가 ⓐ_____ 든다.

② 공기를 넣은 주사기 입구를 손으로 막고 피스톤을 약하게 누르면 공기의 부피가 약간 줄어들고, 세게 누르면 공기의 부피가 많이 줄어든다.

③ 물을 넣은 주사기 입구를 손으로 막고 피스톤을 약하게 누르거나 세게 눌러도 물의 부피는 거의 변하지 않는다.

④ 기체에 압력을 가하면 부피가 ⓑ_____ 줄어들지만, 액체에 압력을 가할 때는 부피 변화가 거의 ⓒ_____ 다.

2. 액체에 압력을 가할 때 부피 변화

피스톤 입구를 막고 작은 압력을 가할 때	피스톤 입구를 막고 큰 압력을 가할 때

• 피스톤이 들어가지 않는다.	• 피스톤이 거의 들어가지 않는다.
• 물의 부피는 변하지 않는다.	• 물의 부피는 거의 변하지 않는다.

• 액체는 가한 압력의 세기와 관계없이 부피 변화가 거의 ⓓ_____ 다.

● 물과 공기에 동시에 압력을 가할 때 부피 변화

일회용 스포이트에 물과 공기를 함께 넣은 후 끝부분을 손가락으로 막고 꼭지 부분을 눌러 물과 공기에 압력을 동시에 가하면 공기의 부피는 변하지만, 물의 부피는 거의 변하지 않는다.

용어 풀이

☑ **기체**(기운 氣, 몸 體)
물질의 상태 중 하나로 모양과 부피가 일정하지 않다.

☑ **압력**(누를 押, 힘 力)
물체를 수직으로 누르는 힘

3. 기체에 압력을 가할 때 부피 변화

피스톤 입구를 막고 작은 압력을 가할 때	피스톤 입구를 막고 큰 압력을 가할 때
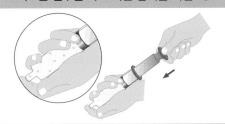	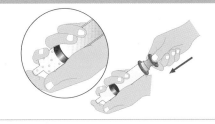
• 피스톤이 조금 들어간다. • 기체의 부피가 약간 줄어든다.	• 피스톤이 많이 들어간다. 그러나 일정한 깊이에서 더 이상 들어가지 않는다. • 기체의 부피가 많이 줄어든다.

• 기체에 압력을 가하면 입자 사이의 거리가 ⓐ_____워져 부피가 줄어든다.
• 가한 압력을 없애면 입자 사이의 거리가 멀어져 부피가 ⓑ_____난다.

4. 생활 속에서 압력에 따라 기체의 부피가 변하는 예

① 비행기 안의 과자 봉지는 땅에서보다 하늘을 나는 동안 크게 부풀어 오른다. ➡ 비행기 안의 압력은 땅보다 하늘에서 더 ⓒ_____기 때문이다.

② 깊은 바닷속에서 잠수부의 날숨으로 생긴 공기 방울은 물 표면으로 올라갈수록 크게 부풀어 오른다. ➡ 물 표면으로 올라갈수록 압력이 ⓓ_____기 때문이다.

③ 높은 산에서 빈 페트병을 마개로 닫은 후 산 아래로 내려오면 페트병이 찌그러진다. ➡ 높은 곳에서 아래로 내려오면 압력이 ⓔ_____아지기 때문이다.

 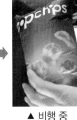   
▲ 이륙 전　　▲ 비행 중　　▲ 잠수부 호흡　　▲ 높은 산　　▲ 산 아래　　압력과 부피

④ 헬륨이 든 고무풍선이 하늘로 올라가면 고무풍선이 점점 커진다. ➡ 높이 올라갈수록 압력이 ⓕ_____아지기 때문이다.

⑤ 점핑볼이나 호핑볼 등의 기구에 앉아 압력을 가하면 부피가 줄어들었다가 늘어나면서 기구가 튀어 오른다.

⑥ 농구 선수가 슛을 하기 위하여 점프를 한 다음 발이 땅에 닿으면 농구화 공기 주머니 속의 기체의 부피가 줄어들면서 발에 가해지는 충격을 줄여준다.

개념 더하기

● 압력에 의해 기체의 부피가 쉽게 변하는 이유

기체는 입자 사이의 거리가 멀어서 압력을 가하면 입자 사이의 거리가 가까워져 부피가 줄어들고, 가한 압력을 없애면 입자 사이의 거리가 멀어져 부피가 늘어난다.

● 보일이 발견한 기체의 부피와 압력의 관계

영국의 과학자 보일은 기체의 부피와 압력의 관계를 알아보는 실험을 하기 위해 3 m가 넘는 유리관에 수은을 넣어 유리관 끝부분에 차 있던 공기에 압력을 가하였다. 수은의 양을 점점 늘리면서 공기의 부피가 어떻게 변하는지 관찰한 결과, 일정한 온도에서 기체의 부피는 압력에 반비례한다는 사실을 알게 되었다.

용어 풀이

☑ 헬륨(helium)
두 번째로 가벼운 물질로 비행선 등 기구에 사용되는 기체

정답

ⓐ 가까 ⓑ 늘어 ⓒ 낮 ⓓ 낮아지 ⓔ 높 ⓕ 낮

04 기체의 부피 변화

개념 더하기

2 온도 변화에 따른 기체의 부피 변화

1. 온도 변화에 따른 부피 변화 관찰하기

★**탐구** 온도 변화에 따른 부피 변화 관찰하기

탐구 과정

① 삼각 플라스크에 고무풍선을 씌운 뒤 따뜻한 물이 든 비커에 넣고 고무풍선의 변화를 관찰한다.

② 삼각 플라스크를 얼음물이 든 비커에 넣고 고무풍선의 변화를 관찰한다.

③ 일회용 스포이트를 식용 색소를 탄 물에서 살짝 눌렀다가 놓아 스포이트 관 가운데에 물방울이 오도록 한다.

④ 물방울이 든 일회용 스포이트를 따뜻한 물이 든 비커와 얼음물이 든 비커에 각각 뒤집어 넣고 변화를 관찰한다.

물방울

탐구 결과 및 결론

① 삼각 플라스크에 고무풍선을 씌운 뒤 ⓐ＿＿＿＿＿한 물이 든 비커에 넣으면 고무풍선이 부풀어 오르고, ⓑ＿＿＿＿＿물이 든 비커에 넣으면 고무풍선이 찌그러진다.

② 물방울이 든 일회용 스포이트를 ⓒ＿＿＿＿＿한 물이 든 비커에 넣으면 물방울이 위로 올라가고, ⓓ＿＿＿＿＿물이 든 비커에 넣으면 물방울이 아래로 내려간다.

③ 온도가 높아지면 기체의 부피가 ⓔ＿＿＿＿＿고, 온도가 낮아지면 기체의 부피가 ⓕ＿＿＿＿＿다.

2. 생활 속에서 온도에 따라 부피가 변하는 예

① 음식을 배달시키면 음식을 포장한 비닐 랩이 오목하게 들어간다. ➡ 음식이 식어 온도가 낮아지면 부피가 ⓖ＿＿＿＿＿기 때문이다.

② 계절에 따라 타이어의 공기압을 점검한다. ➡ 여름에는 기체의 부피가 늘어나 공기압이 증가하고, 겨울에는 기체의 부피가 줄어들어 공기압이 감소하기 때문이다.

● **온도에 의해 기체의 부피가 변하는 이유**

기체의 온도가 높아지면 기체 입자의 움직임이 활발해져 입자 사이의 거리가 멀어지므로 부피가 늘어나고, 온도가 낮아지면 기체 입자의 움직임이 둔해져 입자 사이의 거리가 가까워지므로 부피가 줄어든다.

용어 풀이

☑ **공기압**(빌 空, 기운 氣, 누를 押)
타이어 속에 있는 공기의 압력

정답

ⓕ 줄어든 ⓖ 줄어들
ⓓ 얼음 ⓔ 늘어나
ⓐ 따뜻 ⓑ 얼음 ⓒ 따뜻

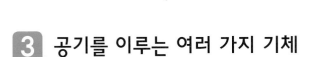

3 공기를 이루는 여러 가지 기체

1. 공기
① 공기는 여러 가지 기체가 섞여 있는 혼합물이다.
② 대부분 질소와 산소로 이루어져 있으며, 그 밖에 이산화 탄소 등 여러 기체가 섞여 있다.

2. 기체의 종류와 쓰임새

종류	성질	쓰임새
ⓐ___	• 탈 때 이산화 탄소를 배출하지 않는다. • 물에서 얻을 수 있으므로 양이 매우 풍부하다.	자동차 연료, 연료 전지 등
ⓑ___	• 진공 상태의 유리관에 넣고 전류를 흐르게 하면 빛이 난다.	네온등 간판, 전광판 등
ⓒ___	• 내용물을 잘 보존시키며 오랫동안 신선할 수 있도록 유지시켜 준다. • 온도를 낮춰준다.	식품 포장, 과자 봉지 충전, 전구 충전, 냉각제 등
ⓓ___	• 공기보다 매우 가볍다. • 불이 붙지 않는다.	기구, 비행선, 광고 풍선, 잠수부의 압축 공기통 등
아르곤	• 다른 물질과 잘 반응하지 않는다.	전구나 형광등 충전

▲ 수소 연료전지

▲ 네온등 간판

▲ 질소 충전 포장

▲ 헬륨 광고 풍선

★생활 속 과학 과자 봉지를 채우고 있는 기체

과자 봉지에 기체를 넣지 않으면 과자가 대부분 부서진다. 또한 과자는 오랜 기간 동안 판매해야 하므로 신선도를 유지시켜 주는 것이 중요하다. 따라서 과자 봉지에는 내용물을 잘 보존하고 오랫동안 신선하게 유지시켜 주는 질소를 넣는다. 질소는 공기 중에 가장 많이 포함된 기체로 공기 부피의 78 %를 차지하며, 색깔도 냄새도 맛도 없는 기체이다. 또한, 공기보다 가볍고 물에 잘 녹지 않는다. 질소는 다른 물질과 잘 반응하지 않는다. 만약 과자 봉지에 질소를 넣지 않고 산소나 다른 기체를 넣으면 내용물이 변할 수 있고 작은 미생물이 생길 수 있기 때문에 잘 넣지 않는다.

[01~03] 다음 중 공기가 들어 있는 주사기의 입구를 손으로 막은 다음 피스톤을 눌렀다가 떼었다.

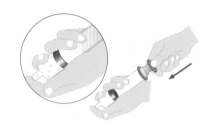

01 결과로 옳은 것은 어느 것입니까? ( )

① 공기에 가한 힘이 없어져서 그대로 있는다.
② 공기의 부피 변화가 없어서 그대로 있는다.
③ 공기의 부피가 줄어들어 피스톤이 안으로 들어간다.
④ 공기의 부피가 늘어나면서 피스톤을 뒤로 밀어낸다.
⑤ 공기에 가한 힘 중 손으로 가한 힘은 없어졌지만 외부 공기가 가하는 힘은 있으므로 피스톤이 그대로 있는다.

02 이 실험으로 알 수 있는 사실은 어느 것입니까? ( )

① 기체에 압력을 가하면 부피가 늘어난다.
② 기체에 압력을 가하면 부피가 줄어든다.
③ 기체에 열을 가하면 부피가 늘어난다.
④ 기체에 열을 가하면 부피가 줄어든다.
⑤ 기체의 부피는 압력과 관계 없다.

03 위와 같은 원리가 적용되는 경우로 옳은 것을 모두 고르세요. (,)

① 물로켓이 발사되어 날아간다.
② 자동차의 타이어가 지면의 충격을 줄여준다.
③ 계절에 따라 타이어의 공기압을 점검해야 한다.
④ 찌그러진 탁구공을 뜨거운 물속에 넣으면 펴진다.
⑤ 음식을 배달시키면 음식을 포장한 비닐 랩이 오목하게 들어간다.

04 다음 중 진공 장치 속에 과자 봉지를 넣고 펌프를 움직여 공기를 뺐을 때 나타나는 결과로 옳은 것은 어느 것입니까? ( )

진공 장치

① 아무런 변화가 없다.
② 과자 봉지가 쪼그라든다.
③ 과자 봉지가 물에 젖는다.
④ 과자 봉지가 부풀어 오른다.
⑤ 진공 장치가 큰 소리를 내며 폭발한다.

05 생활 속에서 압력에 따라 부피가 변하는 경우로 옳지 않은 것은 어느 것입니까? ( )

① 비행기가 하늘을 나는 동안 과자 봉지가 크게 부풀어 오른다.
② 여름에 빈 페트병을 마개로 닫은 후 냉장고에 넣어두면 페트병이 찌그러진다.
③ 높은 산에서 빈 페트병을 마개로 닫은 후 산 아래로 내려오면 페트병이 찌그러진다.
④ 깊은 바다속에서 잠수부의 날숨으로 생긴 공기 방울은 물 표면으로 올라갈수록 크게 부풀어 오른다.
⑤ 농구 선수가 점프를 한 다음 발이 땅에 닿으면 농구화의 공기 주머니의 부피가 줄어들며 충격을 흡수한다.

06 같은 힘으로 피스톤을 누를 때, 피스톤이 밀려 들어간 정도를 바르게 비교한 것은 어느 것입니까? (   )

> **보기**
> ㉠ 입구를 막은 주사기에 물만 20 mL를 채운 경우
> ㉡ 입구를 막은 주사기에 공기 10 mL와 물 10 mL를 채운 경우
> ㉢ 입구를 막은 주사기에 공기만 20 mL를 채운 경우

① ㉠>㉡>㉢
② ㉡>㉢>㉠
③ ㉢>㉡>㉠
④ ㉠>㉢>㉡
⑤ ㉠>㉢>㉡

신유형

07 물방울이 든 일회용 스포이트 아래 부분을 따뜻한 물과 차가운 물에 넣었을 때의 변화에 대한 설명으로 옳은 것은 어느 것입니까? (   )

① 따뜻한 물에 넣으면 물방울이 아래로 내려간다.
② 따뜻한 물에 넣으면 스포이트 안의 공기의 부피가 줄어든다.
③ 차가운 물에 넣으면 물방울이 제자리에 가만히 있는다.
④ 차가운 물에 넣으면 스포이트 안의 공기의 부피가 늘어난다.
⑤ 이 실험을 통해 기체에 열을 가하면 부피가 늘어남을 알 수 있다.

08 생활 속에서 온도에 따라 부피가 변하는 경우로 옳지 <u>않은</u> 것은 어느 것입니까? (   )

① 여름에 상온에 둔 페트병이 빵빵하게 부푼다.
② 풍선을 가지고 지리산 정상에 올라갔더니 풍선이 커졌다.
③ 주전자에 물을 넣고 끓였더니 김이 나면서 뚜껑이 들썩거렸다.
④ 음식을 배달시키면 음식을 포장한 비닐 랩이 오목하게 들어간다.
⑤ 물이 약간 담긴 페트병의 마개를 막고, 냉장고에 넣어 두었을 때 페트병이 찌그러진다.

09 다음 기체 중 우리 생활에 이용되고 있는 것의 설명으로 옳지 <u>않은</u> 것은 어느 것입니까? (   )

① 액화 질소－냉각제로 사용한다.
② 수소－소화기 재료로 사용한다.
③ 질소－과자 봉지 충전에 사용한다.
④ 아르곤－전구나 형광등 충전에 사용한다.
⑤ 헬륨－공기 중에 띄운 광고 풍선에 사용한다.

중요

10 과자 봉지에 질소를 넣는 이유로 옳지 <u>않은</u> 것은 어느 것입니까? (   )

① 과자의 맛을 유지해준다.
② 과자의 색깔을 변화시켜준다.
③ 과자가 부서지는 것을 막아준다.
④ 곰팡이가 생기는 것을 막아준다.
⑤ 과자의 향을 오랫동안 유지해준다.

서술형으로 다지기

 손에 잡히는 문제 해결

무총의 원리는 무엇인가요?

▼

물을 넣은 경우 부피는
어떻게 변하나요?

▼

공기를 넣은 경우 부피는
어떻게 변하나요?

01 성재는 다음 재료를 이용하여 무 총을 만들었습니다. ㉠ 부분에 물을 넣은 경우와 공기를 넣은 경우 어느 무총이 더 멀리 발사되는지 이유와 함께 적어보세요.

[재료]

플라스틱 관, 플라스틱 막대, 무, 물

무

㉠

 손에 잡히는 문제 해결

헬륨의 특징은 무엇인가요?

▼

위로 갈수록 풍선을 누르는
외부의 힘은 어떻게 되나요?

▼

위로 높이 올라갈수록 풍선 속 공기
입자 사이의 거리는 어떻게 되나요?

02 축제나 많은 사람들이 모인 자리에서는 풍선을 날려 보내는 행사가 진행됩니다. 이 풍선에는 헬륨 가스를 넣어 풍선이 잘 날아갈 수 있도록 합니다. 풍선이 위로 올라 갈수록 어떻게 변할지 적어보세요.

03 도희는 다음 그림과 같이 페트병 안쪽 윗부분에 풍선을 끼웠습니다. 풍선에 공기를 직접 불어 넣지 않고 페트병 안에서 풍선이 커지게 할 수 있는 방법을 두 가지 적어보세요.

손에 잡히는 문제 해결

풍선이 페트병에 끼워져 있을 때 내부와 외부의 압력은 어떠한가요?

▼

페트병 속 공기의 압력을 낮추는 방법은 무엇인가요?

▼

기체의 압력을 낮추려면 공기의 양과 온도를 어떻게 조절해야 할까요?

04 오줌싸개 인형은 속이 비어있고 아래쪽에 물이 들어가고 나갈 수 있는 조그마한 구멍이 있습니다. 다음과 같은 방법으로 실험하여 오줌싸개 인형의 물줄기를 더 멀리 보낼 수 있는 방법을 원리와 함께 적어보세요.

[실험 방법]
㉠ 뜨거운 물과 차가운 물이 들어 있는 비커를 각각 준비한다.
㉡ 오줌싸개 인형을 뜨거운 물에 넣는다.
㉢ 오줌싸개 인형을 뜨거운 물에서 꺼낸 후 차가운 물에 넣는다.
㉣ 오줌싸개 인형을 차가운 물에서 꺼내어 세워두고, 오줌싸개 인형의 머리에 뜨거운 물을 붓는다.

손에 잡히는 문제 해결

오줌싸개 인형을 뜨거운 물에 넣으면 어떻게 될까요?

▼

오줌싸개 인형을 차가운 물에 넣으면 어떻게 될까요?

▼

오줌싸개 인형 머리에 뜨거운 물을 부으면 어떻게 될까요?

오줌싸개 인형

융합사고력 키우기

STEAM

✓ **Science**
  ▶ 기체의 압력

✓ **Technology**
  ▶ 가압제

✓ **Engineering**
  ▶ 에어로졸

☐ **Art**

☐ **Mathematics**

동력 분무기의 원리

분무기(스프레이)란 물이나 살충제 같은 액체 물질을 펌프질하여 노즐을 통해 용액을 분사하거나 안개처럼 뿜어내는 기구이다. 다림질이나 화초에 습기를 보충할 때, 유리창을 닦기 위한 세제를 뿌릴 때, 모기약을 뿌릴 때 분무기를 사용한다.

분무기는 사람이 직접 눌러서 분사하는 인력 분무기와 압력 조절 장치를 이용한 동력 분무기가 있다. 탈취나 살충용 에어로졸 스프레이나 소화기가 동력 분무기(압축 분무기)이다. 동력 분무기는 용기에 액체 내용물과 함께 실온에서 쉽게 기체가 되는 가압제를 넣는다. 가압제는 용기 안에서 쉽게 기체가 되어 용기 내부를 고압 상태로 만든다. 밸브를 누르면 튜브 입구가 열리고 가압제에 의해 고압으로 압축된 액체가 노즐을 통해 분사된다. 가압제는 프레온 가스나 아산화 질소와 같은 물질을 사용하는데 프레온 가스는 환경 오염의 문제가 있어 공기를 이용하는 방법을 연구하고 있다.

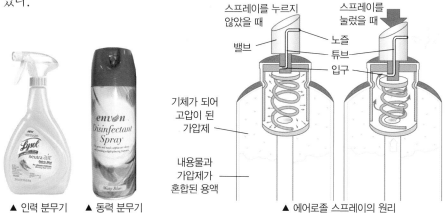

▲ 인력 분무기　▲ 동력 분무기　　▲ 에어로졸 스프레이의 원리

1 에어로졸 스프레이의 원리를 간단하게 적어보세요.

용어 풀이

☑ **동력(움직일 動, 힘 力)**
전기 또는 자연의 에너지를 기계적인 에너지로 바꾼 것

☑ **분무기(뿜을 噴, 안개 霧, 그릇 器)**
물이나 약품 따위를 안개처럼 뿜어내는 도구

☑ **노즐(nozzle)**
액체 또는 기체를 고속으로 분출시키기 위해 액체 또는 기체가 이동하는 길의 끝에 다는 가는 관

☑ **가압제(더할 加, 누를 壓, 약제 劑)**
압력을 가하는 물질

☑ **분사(뿜을 噴, 쏠 射)**
액체나 기체에 압력을 가해 세차게 뿜어내보내는 것

☑ **고압(높을 高, 누를 壓)**
높은 압력

☑ **튜브(tube)**
약제를 넣고 짜내어 쓰는 용기

2 다음은 분무기의 원리를 이용한 물총입니다. 물통에 물을 넣고 바로 방아쇠를 당기면 물이 나오지 않지만 피스톤 장치를 앞뒤로 여러 번 움직인 후에 방아쇠를 당기면 물이 분사됩니다. 피스톤 장치를 앞뒤로 여러 번 움직여야 물이 분사되는 이유를 에어로졸 스프레이의 원리를 이용하여 적어보세요.

피스톤
방아쇠

물총 원리

손에 잡히는 STEAM

에어로졸 스프레이의
원리는 무엇인가요?

피스톤 장치를 움직이지 않으면
왜 물총에서 물이 나오지 않나요?

물총에서 피스톤 장치의
역할은 무엇인가요?

논술형
3 다음은 기체의 압력으로 손을 대지 않고 빈 캔을 찌그러뜨리는 실험 과정입니다. 캔이 찌그러지는 이유를 기체의 압력을 이용하여 적어보세요.

[실험 과정]
① 수조에 찬물을 담는다.
② 빈 캔을 깨끗이 씻은 후 가스레인지로 가열한다.
③ 가열된 캔을 집게로 캔의 입구가 찬물에 잠기도록 넣는다.

빈 캔 실험

손에 잡히는 STEAM

빈 캔을 가열하는 이유는 무엇인가요?

캔의 입구를 찬물에
잠기게 하는 이유는 무엇인가요?

캔 내부 기체의 압력은 어떻게 되나요?

탐구력 키우기

빨대 잠수함

기체는 액체보다 부피가 쉽게 변합니다. 기체의 부피를 조절하여 물속에서 위아래로 움직이는 빨대 잠수함을 만들어보세요.

준비물

빨대, 페트병과 뚜껑, 클립 여러 개, 물, 비커 또는 유리컵

탐구 과정

① 빨대를 10~15 cm 정도로 자른다.

② 자른 빨대의 양 끝에 클립을 끼운다.

③ 빨대 양 끝의 클립을 다른 클립으로 연결하고, 이 클립에 클립을 몇 개 더 끼워 빨대 잠수함을 만든다.

④ 빨대 잠수함을 물이 담긴 비커나 유리컵에 넣어 뜰 수 있도록 클립 수를 조절한다.

⑤ 물이 든 페트병에 빨대 잠수함을 넣는다.

⑥ 뚜껑을 닫고 페트병 가운데를 세게 누른다.

잠수함

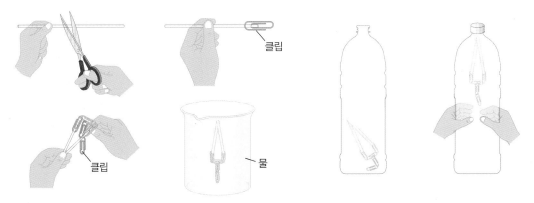

주의사항

• 투명 빨대를 사용하면 실험 결과를 관찰하기 쉽다.

• 빨대가 수면에서 아주 조금만 뜰 수 있도록 클립의 수를 조절하면서 끼운다.

• 빨대가 기울어지지 않고 수직으로 서 있을 수 있도록 클립을 대칭으로 끼운다.

1 페트병을 세게 눌렀을 때와 손을 놓았을 때 빨대 안의 물 높이 변화를 그려보세요.

세게 눌렀을 때 ➡   ⬅ 손을 놓았을 때

2 빨대 잠수함이 위아래로 움직일 수 있는 원리를 적어보세요.

  (1) 아래로 내려가는 원리 :

  (2) 위로 올라오는 원리 :

3 빨대 잠수함의 원리를 바탕으로 실제 잠수함이 물속에서 어떻게 뜨고 가라앉는지 적어보세요.

잠수함

STEAM

4 물고기는 공기가 들어 있는 부레의 크기를 조절하여 물속에서 위아래로 움직입니다. 깊은 바닷속에 사는 물고기를 갑자기 수면 위로 잡아 올리면 부레가 부풀어 죽습니다. 물고기를 갑자기 수면 위로 잡아 올리면 부레가 부푸는 이유를 적어보세요.

부레

Ⅲ 식물의 구조와 기능

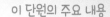

이 단원의 주요 내용

식물체의 기본 단위가 세포임을 이해하고,
세포로 이루어진 식물 기관의 구조와 기능에
대해 알고, 식물의 기관이 서로 관련되어 있음을
이해한다. 다음 세대로 생명을 이어나가기
위해 씨가 퍼지는 다양한 방법을
알아본다.

★ 2015 개정 교육과정 교과서

초등 5~6학년 군 :
    6학년 1학기 4단원 식물의 구조와 기능

★ 다른 학년과의 연계

초등 3~4학년 군 : 식물의 생활, 식물의 한살이
중학교 1~3학년 군 : 생물의 다양성, 식물과 에너지

개념 더하기

● **생물의 크기와 세포**

생물의 크기는 세포 자체의 크기보다는 세포의 수에 영향을 받는다. 크기가 큰 생물은 세포 수가 많다.

● **맨눈으로 볼 수 있는 세포**

모든 세포가 맨눈으로 볼 수 없을 만큼 작지 않다. 사람의 난자, 달걀, 타조알 등은 맨눈으로 볼 수 있을 정도로 큰 세포이다.

▲ 달걀   ▲ 타조알

용어 풀이

☑ **세포(가늘 細, 세포 胞)**
생물을 구성하는 가장 기본적인 단위

정답

(ⓐ 세포 ⓑ 세포벽 ⓒ 핵 ⓓ 핵
ⓔ 세포벽 ⓕ 세포벽)

---

1 세포

1. 식물 세포와 동물 세포

① **세포** : 생물을 이루는 기본 구성단위이다.

② **양파 표피 세포의 현미경 관찰**

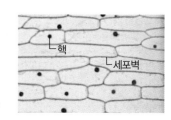

핵
세포벽

- 벽돌처럼 생긴 방 하나하나가 쌓여 있는 모습으로 보인다.
- 방 하나하나가 ⓐ_____이다.
- 경계선에 해당하는 부분은 ⓑ_____이다.
- 둥글게 보이는 것은 ⓒ____이며 염색을 하면 뚜렷하게 보인다.

③ **세포의 기본 구조**

- ⓓ____ : 세포 활동을 조절하는 역할을 한다.
- **세포막** : 세포를 둘러싸고 있는 얇은 막으로, 세포 안팎으로 물질이 드나드는 것을 조절한다.
- ⓔ_____ : 식물 세포에만 있는 것으로 세포 내부를 보호하고 식물 전체 모양을 유지하여 준다.

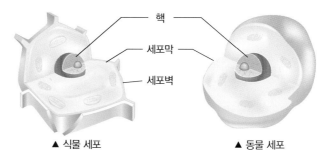

핵
세포막
세포벽

▲ 식물 세포   ▲ 동물 세포

④ **식물 세포와 동물 세포의 공통점과 차이점**

구분	식물 세포	동물 세포
공통점	세포막으로 둘러싸여 있고 그 안에 핵이 있다.	
차이점	ⓕ_____ 이 있다.	세포벽이 없다.

⑤ **세포의 종류** : 생물을 구성하고 있는 세포는 종류에 따라 모양, 크기, 기능이 다르다.

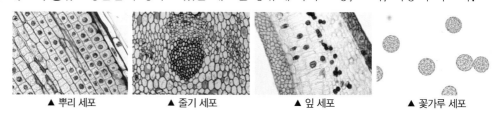

▲ 뿌리 세포   ▲ 줄기 세포   ▲ 잎 세포   ▲ 꽃가루 세포

2 식물의 구조

땅속	땅 위
뿌리가 있다.	줄기, 잎, 꽃, 열매가 있다.

식물의 종류에 따라 겉모습은 다르지만 공통적인 구조를 가지고 있다.

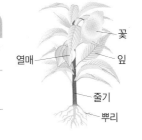

꽃
잎
열매
줄기
뿌리

3 뿌리의 생김새와 기능

1. 뿌리의 생김새

① 뿌리 바깥쪽에는 작고 가는 솜털 모양의 ⓐ_____ 이 있다.

② 뿌리의 형태는 식물마다 다르다.

고추, 민들레 – 곧은뿌리	파, 강아지풀 – 수염뿌리
곧은 뿌리에 가는 뿌리들이 있다.	굵기가 비슷한 뿌리가 여러 가닥으로 나 있다.

★더 알아보기   여러 가지 세포

세포는 생물의 몸을 구성하는 최소 단위이다. 우리 주위에서 보는 많은 생물은 많은 수의 세포로 이루어져 있는 다세포 생물이고, 아메바나 짚신벌레는 하나의 세포로 되어 있는 단세포 생물이다. 세포의 크기는 박테리아와 같이 0.5~1.5 μm(마이크로미터, 10^{-6} m)로 매우 작아 눈에 보이지 않는 것에서부터 개구리알처럼 눈에 보이는 것까지 다양하다. 특이한 경우로 신경 세포의 길이는 약 1 m, 마황과 같은 식물의 섬유 세포는 길이가 약 22 cm나 된다. 세포의 모양은 공 모양, 실 모양, 통 모양 등 여러 가지가 있으며, 일정한 형태가 없는 것도 있다. 사람을 구성하는 세포의 평균 크기는 약 17 μm이며 신경 세포를 제외한 가장 큰 세포는 난세포(난자)로 지름이 약 230 μm(0.23 mm)이다.

▲ 신경세포

05 세포, 뿌리와 줄기

개념 더하기

● **뿌리털의 역할**

뿌리털은 땅속의 물과 물에 녹아 있는 질소, 황, 인, 칼륨, 칼슘, 마그네슘, 철 등과 같이 식물이 자라는 데 필요한 무기 양분을 흡수한다.

● **뿌리가 물을 흡수하는 원리**

뿌리 속의 농도가 땅속의 농도보다 높아 땅속의 물이 뿌리털을 통해 흡수되고, 점차 농도가 높은 뿌리 안쪽으로 이동한다. 농도가 다른 두 용액이 반투과성 막을 사이에 두고 나누어져 있을 때 농도가 낮은 쪽에서 농도가 높은 쪽으로 물이 이동하는 현상을 삼투라고 한다.

용어 풀이

☑ **지지(지탱할 支, 버틸 持)**
붙들어서 버티게 함

☑ **흡수(마실 吸, 거둘 收)**
빨아서 거둬들임

☑ **반투과성(반 半, 통할 透, 지날 過, 성질 性)**
용액의 용매는 통과시키지만 용질은 통과시키지 않는 막의 성질, 세포막이 이 성질을 가진다.

정답

ⓔ 물
ⓐ 지지 ⓑ 저장 ⓒ 있는 ⓓ 물

2. 뿌리의 기능

① 식물체 지지

• 줄기와 함께 식물체를 ⓐ＿＿＿한다.

• 식물이 클수록 뿌리가 땅속 깊이 뻗어 있어 뿌리째 뽑는 것이 힘들다.

② 양분 저장 : 잎에서 만든 양분을 ⓑ＿＿＿한다. **예** 무, 당근, 고구마 등

③ 물 흡수 : 땅속의 물을 흡수한다.

★탐구 　뿌리의 흡수 기능

탐구 과정

① 새 뿌리가 자란 양파 한 개는 뿌리를 자르고 다른 한 개는 그대로 둔다.

② 크기가 같은 비커 두 개에 같은 양의 물을 담아 양파의 밑부분이 물에 닿도록 각각 올려놓은 뒤 빛이 잘 드는 곳에 둔다.

③ 2~3일 뒤에 두 비커에 든 물의 양을 관찰한다.

탐구 결과 및 결론

① 뿌리를 자른 양파가 든 비커는 물이 조금 줄어들었고, 뿌리가 ⓒ＿＿＿는 양파가 든 비커의 물은 많이 줄어들었다.

② 식물의 뿌리는 ⓓ＿＿＿을 흡수한다.

★더 알아보기 　다양한 식물의 뿌리

① **버팀뿌리** : 아래쪽 줄기 마디에서 나온 뿌리가 땅속까지 뻗어 식물이 쓰러지지 않게 받쳐 준다. **예** 옥수수, 수수 등

② **호흡뿌리** : 공기 중에 뿌리를 뻗어 부족한 산소를 흡수한다. **예** 맹그로브(홍수림)

③ **기생뿌리** : 다른 나무줄기에 뿌리를 뻗어 물과 양분을 흡수한다. **예** 겨우살이, 새삼 등

④ **붙음뿌리** : 다른 것에 달라붙기 위하여 줄기의 군데군데서 뿌리를 낸다. **예** 담쟁이덩굴, 마삭나무 등

▲ 옥수수　　▲ 맹그로브

▲ 겨우살이　　▲ 담쟁이덩굴

4 줄기의 생김새와 기능

1. 줄기의 생김새

① 원기둥 모양이고 잎이 달려 있다.

② 껍질에 싸여 있다. ➡ 껍질은 식물을 지지하고 곤충의 침입을 막아주며, 추위와 더위로부터 식물을 보호한다.

2. 줄기의 기능

① 식물체 지지 : 뿌리와 함께 식물체를 ⓐ＿＿＿＿ 한다.

② 양분 저장 : 잎에서 만든 양분을 ⓑ＿＿＿ 한다. 예 감자, 양파, 토란 등

③ 물과 양분 이동 : 뿌리에서 흡수한 물과 잎에서 만든 양분이 이동하는 통로이다.

★탐구　줄기에서 물의 이동

탐구 과정

① 붉은색 색소를 탄 물이 든 컵에 백합 줄기를 담근다.

② 네 시간 이상 지난 후 백합 줄기를 가로와 세로로 잘라 단면을 관찰한다.

탐구 결과 및 결론

① 백합꽃이 붉게 물들고 꽃 가장자리는 진하게 물들었다.

② 백합 줄기 가로 단면에는 붉은색 점이 사방으로 보인다.

③ 백합 줄기 세로 단면에는 붉은색 선이 여러 개 보인다.

④ 식물의 줄기 속에는 물이 지나가는 ⓒ＿＿＿＿ 이 있다.

⑤ 식물의 물관은 여러 개이며 사방으로 흩어져 있다.

⑥ 뿌리에서 흡수한 물은 줄기 속 ⓓ＿＿＿ 을 통해 잎까지 올라간다.

▲ 가로 단면　　▲ 세로 단면

★더 알아보기　다양한 식물의 줄기

① **기는줄기** : 땅 위를 기면서 자라며 줄기 군데군데에서 뿌리를 내린다. 예 딸기, 고구마, 잔디 등

② **기어오르는 줄기** : 줄기가 벽에 붙어서 기어 올라간다. 예 담쟁이덩굴, 수세미, 호박 등

③ **감는줄기** : 다른 물체를 감으면서 지지 작용을 한다. 예 오이, 포도, 나팔꽃, 등나무 등

④ **땅속줄기** : 줄기가 뿌리처럼 땅속으로 뻗어서 자란다. 예 연, 감자, 토란, 백합 등

⑤ **가시** : 동물의 접근을 막도록 줄기가 가시로 변형되었다. 예 장미 등

▲ 딸기　　▲ 담쟁이덩굴　　▲ 오이　　▲ 연　　▲ 장미

01 다음 중 현미경으로 관찰한 양파 표피 세포에 대한 설명으로 옳지 <u>않은</u> 것은 어느 것입니까? (   )

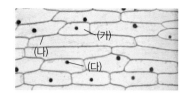

① (가)와 같은 방 하나하나를 세포라고 한다.
② (가)와 같은 방 열 개가 모인 것을 세포라고 한다.
③ (나)와 같은 경계선을 세포벽이라고 한다.
④ (다)는 핵으로 세포 활동을 조절한다.
⑤ (다)는 염색을 하지 않으면 관찰하기 어렵다.

02 다음 중 세포의 모양과 크기에 대한 설명으로 옳은 것을 <u>모두</u> 고르세요. (,   )

① 세포는 대부분 둥근 모양이다.
② 세포의 크기는 대부분 비슷하다.
③ 세포의 기능에 따라 모양과 크기가 다르다.
④ 세포의 모양은 생물의 종류에 따라 다양하다.
⑤ 모든 세포는 크기가 매우 작아서 맨눈으로 볼 수 없다.

03 다음 두 세포에 대한 설명으로 옳지 <u>않은</u> 것은 어느 것입니까? (   )

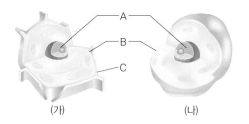

(가)   (나)

① (가)는 식물 세포이고, (나)는 동물 세포이다.
② A는 세포 활동을 조절하는 역할을 한다.
③ A는 염색을 해야 뚜렷하게 관찰할 수 있다.
④ B는 세포를 둘러싸고 있는 얇은 막이다.
⑤ C는 동물 세포에서만 관찰할 수 있다.

04 다음 중 식물의 구조와 기능에 대한 설명으로 옳은 것은 어느 것입니까? (   )

① 잎은 물을 흡수한다.
② 뿌리는 영양분을 만든다.
③ 씨앗 안에 열매가 들어 있다.
④ 줄기는 물과 양분을 흡수한다.
⑤ 뿌리는 줄기와 함께 식물을 지지한다.

[05~06] 뿌리의 작용을 알아보기 위해 다음과 같은 실험을 하였습니다.

ⓐ 새 뿌리가 자란 양파 한 개는 뿌리를 자르고 다른 한 개는 그대로 둔다.
ⓑ 크기가 같은 비커 두 개에 같은 양의 물을 담아 양파의 밑부분이 물에 닿도록 각각 올려놓은 뒤 빛이 잘 드는 곳에 둔다.
ⓒ 2~3일 뒤에 두 비커에 든 물의 양을 관찰한다.

05 위 실험 결과를 바르게 설명한 것은 어느 것입니까? (   )

① 두 비커의 줄어든 물의 양이 같다.
② 두 비커에서 아무런 변화가 나타나지 않는다.
③ 뿌리를 자른 양파의 물이 더 많이 줄어든다.
④ 뿌리가 있는 양파의 물이 더 많이 줄어든다.
⑤ 뿌리가 있는 양파의 물이 더 많이 증발한다.

06 위 실험을 통해 알 수 있는 것은 어느 것입니까? (   )

① 뿌리는 물을 흡수한다.
② 뿌리는 양분을 만든다.
③ 뿌리는 양분을 저장한다.
④ 뿌리는 산소를 흡수한다.
⑤ 뿌리는 식물체를 지지한다.

07 다음과 같은 뿌리의 기능으로 옳지 <u>않은</u> 것을 <u>모두</u> 고르세요. (,)

① 물을 흡수한다. ② 씨앗을 만든다.
③ 양분을 만든다. ④ 양분을 저장한다.
⑤ 식물체를 지지한다.

08 다음 중 식물의 뿌리에 대한 설명으로 옳지 <u>않은</u> 것은 어느 것입니까? ( )

① 뿌리는 땅속의 물을 흡수한다.
② 식물이 클수록 뿌리가 땅속 깊이 뻗어있다.
③ 무, 당근, 고구마 등의 뿌리는 양분을 저장한다.
④ 식물의 종류에 관계없이 뿌리의 생김새는 모두 같다.
⑤ 뿌리 바깥쪽에는 작고 가는 솜털 모양의 뿌리털이 있다.

09 다음은 붉은색 색소에 백합 줄기를 담가 둔 후 가로와 세로로 자른 단면의 모습입니다. 이 실험에 대한 설명으로 옳은 것은 어느 것입니까? ( )

① 가로 단면에는 붉은색 선이 여러 개 보인다.
② 세로 단면에는 붉은색 점이 사방으로 보인다.
③ 붉은색으로 물든 부분은 물이 이동하는 통로이다.
④ 붉은색으로 물든 부분은 양분이 이동하는 통로이다.
⑤ 파란색 색소를 탄 물에 담가 두면 색깔 변화를 확인할 수 없다.

[10~11] 다음 사진과 같이 붉은색 색소를 탄 물이 든 삼각 플라스크에 백합 줄기를 네 시간 이상 담가 두었습니다.

10 이 실험에 대한 결과로 옳은 것은 어느 것입니까? ( )

① 줄기 전체가 붉게 물든다.
② 줄기의 색깔이 변하지 않는다.
③ 줄기의 가운데만 붉게 물든다.
④ 줄기의 한 부분만 붉게 물든다.
⑤ 줄기에서 붉게 물든 부분이 여러 개 존재한다.

11 이 실험의 목적으로 옳은 것은 어느 것입니까? ( )

① 뿌리에서 물을 저장하는 원리 확인
② 뿌리에서 물을 흡수하는 원리 확인
③ 줄기에서 양분을 저장하는 원리 확인
④ 뿌리에서 흡수된 물의 이동 통로 확인
⑤ 줄기에서 식물체를 지지하는 원리 확인

12 다음 중 식물의 줄기의 기능에 대한 설명으로 옳은 것은 어느 것입니까? ( )

① 식물체를 지지한다.
② 땅속에서 물을 흡수한다.
③ 이산화 탄소를 받아들인다.
④ 공기 중으로 산소를 내보낸다.
⑤ 빛을 이용하여 영양분을 만든다.

서술형으로 다지기

🔍 손에 잡히는 문제 해결

뿌리의 기능은 무엇인가요?
▼
느티나무와 민들레 중
더 큰 식물은 무엇인가요?
▼
두 식물 중 더 큰 뿌리가
필요한 식물은 무엇인가요?

01 다음은 느티나무와 민들레의 모습입니다. 두 식물 중 땅속에 있는 뿌리가 더 크고, 깊게 뻗은 것을 고르고 그렇게 생각한 이유를 적어보세요.

▲ 느티나무　　　　　▲ 민들레

(1) 땅속에 있는 뿌리가 더 크고 깊게 뻗은 것 :

(2) 이유 :

🔍 손에 잡히는 문제 해결

배추에 소금을 뿌리면 절여지는
이유는 무엇 때문인가요?
▼
뿌리 속과 땅속 중
어느 것이 농도가 더 높을까요?
▼
뿌리가 물을 흡수하는
원리는 무엇인가요?

02 다음 자료를 바탕으로 식물의 뿌리가 땅속의 물을 흡수하는 원리를 적어보세요.

> 배추를 소금물에 담가두면 배추 속에 들어 있는 물이 밖으로 빠져나와서 탄력을 잃고 시든 것처럼 절여진다. 이것은 세포막을 사이에 두고 물질의 농도가 낮은 배추에서 농도가 높은 소금물로 물이 이동했기 때문이다. 이러한 현상을 삼투라고 한다.

 ➡

---

03 붉은색 색소를 탄 물에 백합 줄기를 담근 후 네 시간 이상이 지난 뒤 백합 줄기를 가로와 세로로 잘라 실체 현미경으로 관찰했습니다. 실체 현미경으로 관찰한 모습을 그림으로 나타내고, 이를 통해 알 수 있는 점을 적어보세요.

구분	가로 단면	세로 단면
모습		
알 수 있는 점		

 논술형

04 줄기에는 물이 이동하는 물관과 잎에서 만든 양분이 이동하는 체관이 있습니다. 다음 자료를 바탕으로 사과나무의 줄기에서 물관과 체관의 위치를 찾고 그렇게 생각한 이유를 적어보세요.

사과나 감을 재배하는 과수원에서는 과일이 크게 열리게 하고 뿌리에 양분이 축적되는 것을 줄이기 위해 나무줄기 바깥쪽을 동그랗게 잘라낸다. 이를 환상박피라고 한다. 나무 줄기의 바깥쪽 껍질을 고리 모양으로 벗겨 낸 후 기르면 물은 뿌리에서 위로 올라갈 수 있어서 잎이 시들지 않고, 잎에서 만든 양분이 아래쪽으로 이동하지 못하므로 아랫부분은 성장이 멈추고 과일이 크게 열리고 수확 시기가 빨라진다.

손에 잡히는 문제 해결

네 시간이 지난 후 백합꽃에는 어떤 변화가 나타나나요?

백합 줄기를 가로와 세로 방향으로 자르면 무엇을 볼 수 있나요?

백합꽃의 색깔이 변한 원인은 무엇인가요?

손에 잡히는 문제 해결

뿌리에서 흡수한 물은 어디로 이동하나요?

잎에서 만든 양분은 어디로 이동하나요?

환상박피를 했을 때 식물이 시들지 않는 이유는 무엇인가요?

융합사고력 키우기

STEAM

- ✓ Science
  ▶ 뿌리의 기능
- ✓ Technology
  ▶ 뿌리의 변형
- ☐ Engineering
- ☐ Art
- ☐ Mathematics

환경을 극복한 낙우송

낙우송은 물이 잘 빠지지 않는 곳에서 멋진 변신과 적응을 한 나무이다. 낙우송은 소나무와 같은 침엽수이지만, 낙엽이 지고 떨어지는 잎이 마치 새의 깃털을 닮아 붙은 이름이다. 낙우송은 보통 습지나 물가에, 심지어는 물속에서 자라는 나무로 알려져 있다.

낙우송은 산소가 부족한 것을 어떻게 해결할까?

그 비밀은 낙우송의 가장 큰 특징인 뿌리에 있다. 낙우송 뿌리에서 땅 위로 돌출된 원뿔 모양을 볼 수 있는데, 이것을 서양에서는 사람의 무릎처럼 튀어나왔다고 무릎뿌리라고 하며, 우리나라에서는 호흡뿌리, 또는 기근(공기뿌리)이라고 부른다. 이 호흡뿌리에는 공기 구멍이 있고, 구멍을 통해 산소를 흡수한다.

낙우송은 배수가 불량하거나 양분 저장이 원활하지 않을 때 뿌리를 땅 위로 뻗어 공기 중에서 호흡하는 것으로 알려져 있다. 호흡뿌리가 땅 위로 솟아 호흡함으로써 땅 밑의 뿌리를 안정시켜준다.

낙우송

▲ 연못에 사는 낙우송

▲ 낙우송의 기근

1 원뿔 모양의 뿌리가 땅 위로 돌출되어 호흡하는 뿌리를 무엇이라고 하는지 적어 보세요.

용어 풀이

☑ 기근(기체 氣, 뿌리 根)
뿌리가 땅속에 있지 않고 공기 중에 튀어 나와 기능을 수행하는 뿌리

☑ 습지(젖을 濕, 땅 地)
일 년 중 일정 기간 이상 물에 잠겨 있거나 젖어 있는 땅

☑ 배수(물리칠 排, 물 水)
안에 있는 물을 밖으로 빼냄

2 생물은 환경에 적응하기 위해 몸의 형태를 변화시키기도 합니다. 보통 식물이 땅 속의 뿌리로 지탱하면서 생활하지만, 낙우송은 뿌리 끝을 땅 위로 돌출시킵니다. 낙우송이 뿌리 끝을 땅 위로 돌출시키는 이유를 적어보세요.

🔍 손에 잡히는 **STEAM**

> 식물이 살아가기 위해서 무엇이 필요한가요?

▼

> 낙우송이 사는 환경은 어떤 특징이 있나요?

▼

> 낙우송이 뿌리 끝을 땅 위로 돌출시켰을 때 좋은 점은 무엇인가요?

논술형

3 습지 근처에서 살고 호흡뿌리를 가지고 있는 낙우송과 맹그로브는 주위 환경에 맞게 적응한 식물입니다. 현재 지구는 지구 온난화로 인한 이상 기후로 환경이 빠르게 변하고 있습니다. 식물이 살던 환경이 지구 온난화로 인해 변한다면 자신의 구조를 어떻게 변화시킬지 이유와 함께 적어보세요.

🔍 손에 잡히는 **STEAM**

> 지구 온난화로 인해 환경이 어떻게 바뀔까요?

▼

> 환경이 바뀜으로 인해 식물은 어떤 점이 불리해질까요?

▼

> 환경이 바뀌어 식물이 변화된 경우에는 무엇이 있을까요?

06 잎, 꽃과 열매

1 잎의 기능

1. 광합성

● 아이오딘-아이오딘화 칼륨 용액

아이오딘-아이오딘화 칼륨 용액은 녹말과 반응하면 청람색으로 변한다.

▲ 아이오딘-아이오딘화 칼륨 용액을 떨어뜨린 감자

● 잎을 알코올이 든 비커에 넣고 중탕하는 이유

잎에 있는 엽록소(초록색 색소)가 제거되어 잎에서 만들어진 녹말과 아이오딘-아이오딘화 칼륨 용액의 반응 결과(색깔 변화)를 뚜렷하게 관찰할 수 있기 때문이다.

● 광합성이 일어나는 장소

광합성은 초록색 색소인 엽록소를 가지고 있는 엽록체에서 일어난다. 식물 잎뿐만 아니라, 줄기 등 초록색인 부분에서 광합성이 일어난다.

용어 풀이

☑ **광합성(빛 光, 합할 合, 이룰 成)**
잎 내부 엽록체에서 물, 햇빛, 이산화 탄소를 이용하여 양분을 만드는 작용

정답

조 ⑥ 유롭윷 ⑥
유롭윷 ⓒ 믈믕 ⑨ ㅸ ⑨

★탐구   잎에서 만든 양분 확인하기

탐구 과정

① 크기가 비슷한 모종 두 개를 빛이 잘 드는 곳에 둔다.
② 모종 한 개는 어둠상자를 씌우고, 다른 한 개는 씌우지 않는다.
③ 다음 날 오후 각각의 모종에서 잎을 딴다.
④ 알코올이 든 작은 비커에 어둠상자를 씌운 잎과 어둠상자를 씌우지 않은 잎을 넣고, 물이 든 큰 비커에 넣은 뒤 유리판으로 덮어 중탕한다.
⑤ 중탕한 잎을 따뜻한 물로 헹군 다음에 페트리 접시에 놓고, 아이오딘-아이오딘화 칼륨 용액을 떨어뜨려 잎의 색깔 변화를 관찰한다.

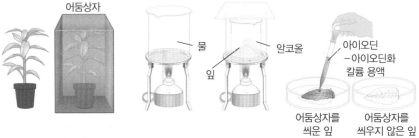

탐구 결과 및 결론

① 어둠상자를 씌운 잎은 아이오딘-아이오딘화 칼륨 용액에 의한 색깔 변화가 ⓐ_____다.
② 어둠상자를 씌우지 않은 잎은 아이오딘-아이오딘화 칼륨 용액에 의하여 ⓑ_____색으로 변한다.
③ 식물은 빛을 이용하여 양분(녹말)을 만든다. → ⓒ_____

① ⓓ_____ : 물, 이산화 탄소, 빛을 이용하여 스스로 양분을 만드는 것

② 광합성이 일어나는 장소 : 주로 잎에서 일어난다.

② 광합성에서 만들어진 물질 : 잎에서 만들어진 양분은 줄기를 거쳐 뿌리, 열매 등 필요한 부분으로 운반되어 사용되거나 저장된다.

③ 광합성이 잘 일어나는 조건

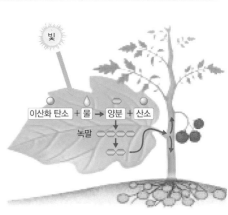

• 잎이 많아야 한다. : 잎 내부의 엽록체에서 광합성이 일어난다.

• 많은 양의 ⓔ_____을 받아야 한다. : 식물의 잎은 서로 겹치지 않도록 배열되어 있다.

2. 증산 작용

탐구 과정

• **같게 해야 할 조건** : 모종의 종류와 크기, 물의 양, 비닐봉지의 크기 등
• **다르게 해야 할 조건** : 모종에 있는 잎의 유무
① 모종 한 개는 잎을 남겨 두고, 다른 한 개는 잎을 모두 없앤다.
② 두 모종을 물이 담긴 삼각 플라스크에 넣고 줄기와 입구 사이 공간을 막는다.
③ 각각의 모종에 비닐봉지를 씌운 다음 공기가 통하지 않도록 묶고 햇빛이 잘 드는 곳에 1~2일 동안 놓아둔다.
④ 비닐봉지 안의 변화를 관찰한다.

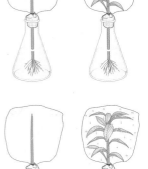

탐구 결과 및 결론

① ⓐ_____ 이 달린 식물의 비닐봉지에는 물방울이 많이 맺힌다.
② 잎을 없앤 식물의 비닐봉지에는 물방울이 거의 맺히지 않는다.
③ 식물의 뿌리에서 흡수된 물은 줄기의 물관을 통해 잎에 도달한 뒤 광합성에 이용되고 나머지는 잎의 기공을 통해 밖으로 빠져 나간다. → ⓑ_____ 작용

① ⓒ_____ 작용 : 잎에 도달한 물이 기공을 통해 수증기로 빠져나가는 현상

② 기공
• 식물의 잎 뒷면에 있는 작은 구멍이다.
• 식물이 흡수한 물은 필요로 하는 곳에 사용되고, 일부분은 기공을 통해 빠져나간다.

③ 증산 작용의 역할
• 뿌리에서 흡수한 ⓓ_____을 식물 꼭대기까지 끌어올릴 수 있도록 돕는다.
• 식물의 체온을 조절한다.

④ 증산 작용이 잘 일어나는 조건
• 햇빛이 강할수록 잘 일어난다.
• 바람이 불수록 잘 일어난다.
• 온도가 높을수록 잘 일어난다.
• 건조할수록 잘 일어난다.

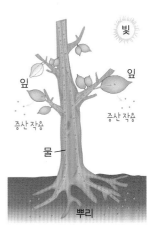

빛
잎
잎
증산 작용
증산 작용
물
뿌리

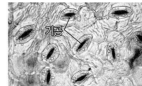

기공

● **여름에 숲속에 들어가면 시원한 느낌이 드는 까닭**
잎의 기공에서 물이 수증기가 되어 공기 중으로 나올 때 주변의 열을 흡수하기 때문에 공기의 온도가 낮아진다. 더울 때 우리 몸이 땀을 내면서 체온을 조절하는 것과 같은 원리이다.

● **잎의 증산 작용이 잘 일어나는 조건 실험하기**
• 바람이 불수록 잘 일어난다. : 비닐봉지 아랫부분에 공기가 통하도록 구멍을 뚫는다.
• 햇빛이 강할수록 잘 일어난다. : 한 식물에만 차광막을 씌운다.

▲ 바람과 증산 작용   ▲ 햇빛과 증산 작용

용어 풀이

☑ **증산(찔 蒸, 흩어질 散)**
식물체 내에서 물이 수증기가 되어 공기 중으로 나오는 현상

개념 더하기

● 갖춘꽃과 안갖춘꽃
• 갖춘꽃 : 암술, 수술, 꽃잎, 꽃받침을 모두 가지고 있는 꽃
  예 복숭아꽃, 사과꽃, 장미꽃, 민들레꽃 등
• 안갖춘꽃 : 암술, 수술, 꽃잎, 꽃받침 중 한 가지라도 없는 꽃
  예 보리꽃, 소나무꽃, 오이꽃, 수세미꽃 등

● 다양한 방법의 꽃가루받이
• 곤충 : 꽃은 곤충에게 꿀과 안식처를 제공하고, 곤충은 꽃의 꽃가루를 암술에 옮겨준다. 사과꽃, 민들레꽃, 연꽃, 감꽃, 오이꽃, 봉선화꽃, 장미꽃 등
• 바람 : 소나무, 잣나무, 은행나무, 옥수수 등
• 새 : 동백꽃(동박새), 바나나, 파인애플, 선인장 등
• 물 : 검정말, 나사말 등

용어 풀이

☑ 수분(받을 受, 가루 粉)
수술의 꽃가루가 암술로 옮겨지는 일

정답

ⓘ 퍼진다
ⓖ 씨 ⓗ 씨 ⓕ 꽃가루받이
ⓓ 꽃받침 ⓔ 씨
ⓐ 암술 ⓑ 수술 ⓒ 꽃잎

---

2 꽃의 생김새와 기능

1. 꽃의 구조

① 꽃의 기본 구조 – 사과꽃

꽃잎 / 수술 / 암술 / 꽃가루 / 수술 / 꽃잎 / 꽃받침

• ⓐ＿＿＿＿ : 꽃가루받이를 거쳐 씨를 만든다.
• ⓑ＿＿＿＿ : 꽃가루를 만든다.
• ⓒ＿＿＿＿ : 암술과 수술을 보호한다.
• ⓓ＿＿＿＿ : 꽃을 보호하고 받쳐준다.

② 꽃잎, 꽃받침, 암술, 수술 중 일부가 없는 꽃도 있다.

▲ 오이 수꽃 – 암술 없음   ▲ 오이 암꽃 – 수술 없음

2. 꽃의 기능

① 꽃의 기능 : ⓔ＿＿＿를 만든다.

② 씨를 만드는 과정

꽃가루받이

• ⓕ＿＿＿＿＿＿(수분) : 수술에서 만들어진 꽃가루가 암술로 옮겨진다.
• 꽃가루받이는 곤충, 바람, 새, 물 등의 도움으로 이루어진다.

3 열매의 생김새와 기능

1. 열매가 만들어지는 과정 – 사과

① 꽃가루받이가 된 암술 속에서 ⓖ＿＿＿가 생겨 자란다.

② 씨가 자라는 동안 씨를 싸고 있는 암술이나 꽃받침 등이 함께 자라 열매가 된다.

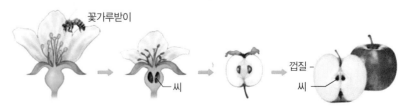

꽃가루받이 / 씨 / 껍질 / 씨

2. 열매의 기능

① 어린 ⓗ＿＿＿를 보호한다.

② 씨가 익으면 멀리 ⓘ＿＿＿＿＿다.

3. 식물이 씨를 퍼뜨리는 방법

바람에 날려	씨앗이 날개 모양이거나 씨에 털이 붙어 있다. 예 민들레씨, 단풍나무씨, 소나무씨, 목화씨, 엉겅퀴씨 등
동물에게 먹혀서	동물을 끌어들일 수 있는 냄새나 색깔 또는 영양분을 갖추고 있다. 예 사과, 감, 포도, 수박, 배 등
동물 몸에 붙어서	갈고리 모양의 가시가 있거나 씨 겉면이 끈끈하다. 예 도깨비바늘 열매, 가막사리씨, 우엉씨, 도꼬마리씨
꼬투리가 터져서	열매가 잘 익으면 매우 약한 자극에도 씨껍질이 힘차게 터진다. 예 나팔꽃씨, 봉선화씨, 괭이밥꽃씨 등
물에 떠서	물에 젖지 않도록 두꺼운 껍질로 싸여 있다. 예 야자열매, 연꽃씨, 문주란 등

4 식물 각 기관들의 관련성

1. 식물의 각 기관의 역할

뿌리	• 식물을 지지하고 ⓐ_____을 흡수한다. • 잎에서 만든 양분을 뿌리에 저장한다.
줄기	• 뿌리에서 흡수한 ⓑ_____이 이동하는 통로이다. • 잎에서 만든 ⓒ_____이 이동하는 통로이다.
잎	• ⓓ_____을 통하여 양분을 스스로 만든다. • ⓔ_____을 통하여 물을 밖으로 내보낸다.
꽃	• ⓕ_____를 거쳐 씨를 만든다.
열매	• 어린 씨를 보호하고 씨가 익으면 멀리 퍼뜨린다.

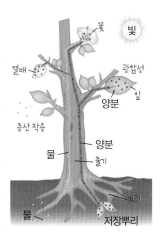

2. 식물 기관들의 관련성

① 맑은 날 : 뿌리에서 흡수한 물의 양이 많고, 증산 작용을 통하여 잎 밖으로 빠져나가는 양이 ⓖ___다. 잎에서는 광합성으로 만들어지는 양분이 많다.

② 흐린 날 : 뿌리에서 흡수한 물의 양이 적고, 증산 작용을 통하여 잎 밖으로 빠져나가는 양이 ⓗ___다. 잎에서는 광합성으로 만들어지는 양분이 적다.

③ 가뭄이 계속 되는 날 : 뿌리에서 흡수한 물의 양이 매우 적고, 증산 작용을 통하여 잎 밖으로 빠져나가는 양이 거의 없다. 잎에서는 광합성으로 만들어지는 양분이 매우 적다.

01 호윤이는 광합성에 관련하여 다음과 같은 실험을 하였다. 호윤이가 실험을 통해 알게 된 사실은 어느 것입니까? ( )

> ㉠ 크기가 비슷한 모종 두 개를 빛이 잘 드는 곳에 둔다.
> ㉡ 모종 한 개는 어둠상자를 씌우고, 다른 한 개는 씌우지 않는다.
> ㉢ 다음 날 오후 각각의 모종에서 잎을 딴다.
> ㉣ 알코올이 든 작은 비커에 어둠상자를 씌운 잎과 어둠상자를 씌우지 않은 잎을 넣고, 물이 든 큰 비커에 넣은 뒤 유리판으로 덮어 중탕한다.
> ㉤ 중탕한 잎을 따뜻한 물로 헹군 다음에 페트리 접시에 놓고, 아이오딘-아이오딘화 칼륨 용액을 떨어뜨려 잎의 색깔 변화를 관찰한다.

① 광합성에는 녹색 색소가 필요하다.
② 광합성은 잎에 있는 엽록체에서 일어난다.
③ 식물의 잎을 빛이 없는 곳에 두면 녹말이 만들어진다.
④ 식물의 잎이 빛을 받으면 광합성을 하여 녹말이 만들어진다.
⑤ 식물은 높은 온도를 가하면 광합성을 하여 녹말이 더욱 잘 만들어진다.

02 다음 중 광합성에 대한 설명으로 옳지 <u>않은</u> 것은 어느 것입니까? ( )

① 모든 세포에서 일어난다.
② 잎의 수가 많을수록 광합성이 잘 일어난다.
③ 빛을 많이 받을수록 양분이 많이 만들어진다.
④ 식물이 물, 이산화 탄소, 빛을 이용해 스스로 양분을 만드는 과정이다.
⑤ 광합성에서 만들어진 물질은 필요한 부분으로 운반되어 사용되거나 저장된다.

03 식물의 잎에 도달한 물의 이동을 알아보기 위해 다음과 같이 실험하였습니다. 이 실험에서 다르게 해야 할 조건은 어느 것입니까? ( )

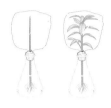

① 잎의 유무
② 식물의 종류
③ 뿌리의 유무
④ 비닐봉지의 크기
⑤ 삼각 플라스크에 담는 물의 양

04 다음 중 증산 작용에 대한 설명으로 옳지 <u>않은</u> 것은 어느 것입니까? ( )

① 식물의 체온을 조절한다.
② 맑은 날보다 비 오는 날 증산 작용이 활발하게 일어난다.
③ 식물의 잎에 있는 기공을 통해 증산 작용이 이루어진다.
④ 뿌리에서 흡수한 물을 식물 꼭대기까지 끌어올리는 역할을 한다.
⑤ 식물의 잎에서 물이 수증기가 되어 빠져나가는 현상을 증산 작용이라고 한다.

05 오른쪽 그림과 같이 붉은색 색소를 탄 물에 백합 줄기를 담가 두었을 때 가장 빠르고 선명하게 붉은색으로 물들일 수 있는 조건으로 옳은 것은 어느 것입니까? ( )

① 실험 장치를 냉장고에 넣어둔다.
② 실험 장치를 햇빛이 강한 야외에 놓아둔다.
③ 실험 장치를 햇빛이 없는 서늘한 그늘에 놓아둔다.
④ 한 개의 실험 장치에 여러 개의 백합 줄기를 꽂아둔다.
⑤ 백합의 잎을 모두 따 버리고 실험 장치를 햇빛이 잘 드는 거실에 놓아둔다.

06 다음 중 꽃의 생김새와 기능에 대한 설명으로 옳지 <u>않은</u> 것은 어느 것입니까?　　　（　　　）

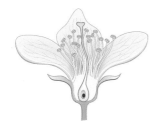

① 수술에서 꽃가루를 만든다.
② 수술은 꽃의 가장 안쪽에 있다.
③ 꽃잎은 암술과 수술을 보호한다.
④ 암술은 꽃가루받이를 거쳐 씨를 만든다.
⑤ 꽃받침은 꽃을 보호하고 받쳐준다.

07 다음 중 빈칸에 들어갈 알맞은 말은 어느 것입니까?
　　　（　　　）

> 꽃가루받이 후 씨가 만들어지고, 이 씨를 보호하고 멀리 퍼뜨리기 위해서 (　　　)을(를) 만든다.

① 뿌리　　　② 줄기　　　③ 잎
④ 꽃　　　⑤ 열매

08 다음은 사과의 성숙 과정입니다. 순서대로 바르게 나열한 것은 어느 것입니까?　　　（　　　）

보기
> ㉠ 암술 아랫부분에 씨가 생겨 자란다.
> ㉡ 곤충에 의해 꽃가루받이가 된다.
> ㉢ 씨가 자라는 동안 씨를 싸고 있는 암술이나 꽃받침 등이 함께 자라 열매가 된다.
> ㉣ 봄에 연분홍색 꽃이 핀다.

① ㉠>㉡>㉢>㉣
② ㉡>㉣>㉢>㉠
③ ㉢>㉡>㉠>㉣
④ ㉣>㉠>㉢>㉡
⑤ ㉣>㉡>㉠>㉢

09 다음 중 식물과 그 식물의 씨가 퍼지는 방법이 바르게 짝지어진 것은 어느 것입니까?　　　（　　　）

① 민들레씨－물에 떠서
② 사과－바람에 날려서
③ 우엉씨－동물에게 먹혀서
④ 나팔꽃－꼬투리가 터져서
⑤ 연꽃씨－동물의 몸에 붙어서

10 다음 중 식물 각 부분의 기능에 대한 설명으로 옳지 <u>않은</u> 것은 어느 것입니까?　　　（　　　）

① 뿌리는 물을 흡수한다.
② 줄기는 뿌리에서 흡수한 물을 잎으로 보내고 식물체를 지지한다.
③ 잎은 식물의 성장에 필요한 영양분을 만든다.
④ 꽃은 양분을 저장하고 있어 비상 식량이 된다.
⑤ 열매는 씨앗이 들어 있어서 번식을 한다.

11 다음 중 빛을 받지 못한 식물에게 생길 수 있는 문제점으로 옳은 것은 어느 것입니까?　　　（　　　）

① 튼튼하게 자란다.
② 식물 잎이 검게 변한다.
③ 증산 작용이 활발하게 일어난다.
④ 광합성으로 양분을 만들지 못한다.
⑤ 잎에 아이오딘－아이오딘화 칼륨 용액을 뿌리면 색이 변한다.

12 화창한 날, 땅속의 물이 사과나무에서 어떻게 이동하는지 바르게 나타낸 것은 어느 것입니까?　（　　　）

① 뿌리 → 잎 → 잎의 기공 → 밖
② 잎의 기공 → 잎 → 줄기의 물관 → 뿌리
③ 뿌리 → 줄기의 물관 → 잎의 기공 → 저장
④ 잎의 엽록체 → 줄기 → 필요한 기관 → 저장
⑤ 뿌리 → 줄기의 물관 → 잎 → 잎의 기공 → 밖

서술형으로 다지기

손에 잡히는 문제 해결

광합성을 할 때 꼭 필요한
것은 무엇인가요?

▼

(가)와 (나)의 차이점은 무엇인가요?

▼

(가)와 (나) 중 광합성이 활발하게
일어나는 것은 무엇인가요?

01 식물이 물과 이산화 탄소, 빛을 이용하여 스스로 양분을 만드는 것을 광합성이라고 합니다. 다음 그림의 (가), (나)와 같이 장치하고 햇볕에 놓아두었을 때 3~4일 후 양분을 더 많이 만든 식물을 고르고, 그렇게 생각한 이유를 적어보세요.

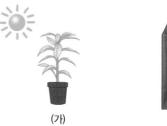

(가)

어둠상자

(나)

(1) 양분을 더 많이 만든 식물 :

(2) 그렇게 생각한 이유:

손에 잡히는 문제 해결

뿌리에서 흡수한 물은 어떻게 되나요?

▼

증산 작용이란 무엇인가요?

▼

증산 작용과 식물의 잎의 수는
어떤 관계가 있나요?

02 다음은 잎에 도달한 물이 어떻게 되는지 알아보기 위해 실험을 한 결과입니다. 이와 같은 실험 결과가 나타난 이유를 증산 작용과 관련지어 적어보세요.

구분	잎이 달린 식물 줄기	잎이 달리지 않은 식물 줄기
모습		
비닐봉지 속의 변화	물방울이 맺힌다.	물방울이 거의 맺히지 않는다.
삼각 플라스크 속 물의 변화	물이 많이 줄어든다.	물이 거의 줄어들지 않는다.

03 단풍나무씨와 민들레씨의 생김새를 관찰한 후 각각의 특징을 쓰고, 두 씨의 공통점을 씨가 퍼지는 방법과 관련지어 적어보세요.

구분	단풍나무씨	민들레씨
모습		
특징		
공통점		

손에 잡히는 문제 해결

두 씨의 생김새의 특징은 무엇인가요?
▼
두 씨는 어떤 방법으로 멀리 퍼지나요?
▼
두 씨의 공통점은 무엇인가요?

04 장미꽃은 향기가 진하며 크고 색이 화려하지만 벼꽃은 작아 잘 보이지도 않으며 꽃잎도 없습니다. 두 식물의 꽃의 생김새가 다른 이유를 두 꽃의 꽃가루받이 방법과 관련지어 적어보세요.

▲ 장미꽃   ▲ 벼꽃

손에 잡히는 문제 해결

꽃가루받이란 무엇인가요?
▼
장미꽃의 꽃가루받이에
도움을 주는 것은 무엇인가요?
▼
벼의 꽃가루받이에
도움을 주는 것은 무엇인가요?

융합사고력 키우기

STEAM ✨

- ✓ Science
  - 잎의 광합성
- ✓ Technology
  - ▶ 펌프 작용
- ✓ Engineering
  - ▶ LED 채소재배기
- ☐ Art
- ☐ Mathematics

나에게 꼭 맞는 화분

바쁜 일상에 지친 현대인들은 자연과 함께할 때 한결 여유로움을 느낀다. 이 때문에 많은 이가 식물을 키우고 싶어 한다. 그러나 막상 식물을 들여놓으면 공간도 마땅치 않고, 관리도 쉽지 않아 포기하는 경우가 많다.

최근 실내 정원 관리의 꿈을 실현해 주는 기술이 속속 나오고 있다. 신개념 정원시스템인 식물 아파트 '나레스트'는 화분을 층층이 쌓아 올린 구조로, 맨 아래 물통에 펌프가 달려 있어 펌프가 물을 맨 위로 끌어올린 뒤 아래로 내려가며 각 층의 화분에 물을 공급한다. 최근에는 이산화 탄소 센서를 달아 환기 시점을 알려주거나 음이온을 배출하는 '기능성 화분'도 등장했다.

또한, 빛이 부족한 실내에서도 채소를 손쉽게 재배할 수 있으며, 필요에 따라 빛의 세기와 색깔을 조절할 수 있는 LED 채소재배도 등장했다. LED 채소재배기에서 적색등은 광합성을 촉진하고 황색등은 해충을 쫓으며, 녹색등은 곰팡이균을 제거한다.

농업진흥청 도시농업연구팀장은 "소득이 오르면서 도시에 사는 사람도 원예식물뿐 아니라 간단한 작물을 재배하는 데 관심이 높아지고 있어, 도시농업에 적합한 기술도 꾸준히 개발되고 있다"며 "실내의 녹색공간은 자연의 생동감을 전해줘 정서적인 안정을 누리는 데 도움이 될 것"이라고 말했다.

▲ 나레스트

▲ LED 채소재배기

새로운 화분

1 나레스트는 어떨 때 사용하는 것이 좋은지 적어보세요.

용어 풀이

☑ **음이온(그늘 陰, ion)**
중성의 입자가 전자를 얻어 만들어지는 음전하를 띠는 물질

☑ **원예식물(동산 園, 재주 藝, 심을 植, 물건 物)**
재배하거나 정원을 가꾸기 위해 키우는 식물

☑ **물질대사(물건 物, 바탕 質, 대신할 代, 없앨 謝)**
생물체가 에너지를 만들고 필요하지 않은 물질을 몸밖으로 내보내는 작용

2 다음은 식물체 내에서 일어나는 물질대사를 나타낸 것입니다. 이산화 탄소의 양이 많으면 LED 채소재배기에 어떤 색 등을 켜주어야 하는지 이유와 함께 적어보세요.

> • 광합성 : 물 + 이산화 탄소 $\xrightarrow{\text{빛}}$ 양분 + 산소
>
> • 호흡 : 양분 + 산소 $\longrightarrow$ 물 + 이산화 탄소 + 에너지

손에 잡히는 STEAM

이산화 탄소가 사용되는
과정은 무엇인가요?

▼

이산화 탄소가 많다는 것은
어떤 의미인가요?

▼

이산화 탄소가 많으면
LED 채소재배기의
어떤 색 등을 켜주어야 할까요?

논술형

3 오른쪽 그림은 실내 화분 기술의 또 하나의 예인 '심지관수형 화분'입니다. 심지관수형 화분은 집을 비울 일이 있거나 매번 물을 주는 것을 깜빡하는 사람에게 유용한 화분입니다. 심지 관수형 화분의 과학적 원리를 추리하여 적어보세요.

손에 잡히는 STEAM

식물이 살기 위해서
무엇이 필요할까요?

▼

식물에 물을 주지 않으면
어떻게 되나요?

▼

심지관수형 화분 아래의 심지는
어떤 역할을 할까요?

테라리엄

테라리엄이란 먼 옛날 오랜 항해를 하던 항해사들이 육지를 그리워하며 만든 보틀 가든(bottle garden)입니다. 테라리엄에서 식물이 어떻게 살아가는지 알아보세요.

준비물

유리병, 뚜껑, 식물, 이끼, 배양토(흙), 물, 자갈

탐구 과정

① 유리병에 자갈을 깐다.

② 자갈 위에 배양토를 넣는다.

③ 배양토에 식물을 심는다.

④ 식물을 심은 후 배양토 표면을 다져준다.

⑤ 흙이 노출된 부분에 이끼를 덮고 눌러준다.

⑥ 물을 주고 뚜껑을 덮는다.

테라리엄

주의사항

• 자갈층은 흙에서 빠진 물이 고이는 곳이다.

• 식물이 자랄 수 있는 공간이 있어야 하므로 유리병 안에 식물을 빽빽하게 심지 않는다.

• 자갈에 물에 고일 정도로 물을 많이 주지 않는다.

1 테라리엄 속 식물이 잘 자라게 하려면 테라리엄을 어디에 두어야 할지 적어보세요.

2 밀폐된 테라리엄 용기 안에서 자라는 식물은 외부로부터 빛 외에 물이나 비료 등을 공급받지 않은 채 살아갑니다. 테라리엄 속 식물은 살아가는 데 필수 요소인 물을 어떻게 계속 얻을 수 있는지 적어보세요.

3 식물은 광합성을 통해 필요한 양분을 만듭니다. 식물이 광합성을 하기 위해서는 이산화 탄소와 빛이 필요합니다. 밀폐된 테라리엄 속 식물은 이산화 탄소를 어떻게 계속 얻을 수 있는지 적어보세요.

STEAM

4 영국 외과 의사인 워드는 1829년 나방의 부화와 생장 과정을 관찰하기 위해 유리병 속에 번데기와 흙을 넣고 밀폐시켰다. 이때 정원에서 재배를 시도했다가 대기 오염 때문에 실패한 양치식물의 포자가 그 속에서 우연히 발아하는 것을 발견하였다. 발아된 양치식물이 4년 동안 밀폐된 유리병 속에서 자라는 것을 바탕으로, 큰 유리병에 식물을 심고 덮개를 씌워서 기르기 시작하였다. 이것이 테라리엄의 시작이다. 테라리엄으로 식물을 키울 경우 좋은 점을 적어보세요.

IV 빛과 렌즈

★ 2015 개정 교육과정 교과서

　　초등 5～6학년 군 :

　　　　6학년 1학기 5단원 빛과 렌즈

★ 다른 학년과의 연계

　　초등 3～4학년 군 : 그림자와 거울

　　중학교 1～3학년 군 : 빛과 파동

07 빛의 분산과 굴절

● 프리즘에 의한 빛의 분산

빛이 프리즘을 통과할 때 항상 두꺼운 쪽으로 꺾인다. 프리즘을 놓는 방법에 따라 위쪽에 나타나는 빛의 색깔이 다르다.

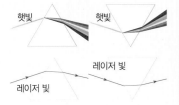

● 빛이 분산되는 이유

빛이 프리즘을 통과할 때 빛의 색깔에 따라 꺾이는 정도가 다르기 때문이다. 빨간색 빛이 가장 적게 꺾이고 보라색 빛이 가장 많이 꺾인다.

용어 풀이

☑ 분산(나눌 分, 흩어질 散)
갈라져 흩어짐

☑ 프리즘(prism)
빛을 분산시킬 때 쓰는 유리로 만든 광학 부품

정답

ⓐ 햇빛　ⓑ 빨간색
ⓒ 여러　ⓓ 한　ⓔ 분산

1 빛과 프리즘

1. 빛을 프리즘에 통과시키기

★탐구　빛을 프리즘에 통과시키기

탐구 과정

① 운동장에서 프리즘을 스탠드에 고정한다.
② 검은색 도화지의 좁고 긴 구멍을 통과한 햇빛이 프리즘을 통과할 수 있도록 프리즘의 위치를 조절한다.
③ 프리즘을 통과한 햇빛이 닿는 곳에 하얀색 도화지를 놓고 도화지에 나타난 햇빛을 관찰한다.
④ 실내에서 레이저 지시기의 빛이 프리즘을 통과하도록 비추고 하얀색 도화지에 나타난 레이저 지시기의 빛을 관찰한다.

실험 결과 및 결론

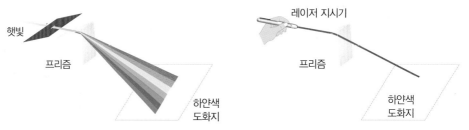

① ⓐ_____이 프리즘을 통과하면 하얀색 도화지에 여러 가지 색깔로 나타난다.
② 레이저 지시기의 빨간색 빛이 프리즘을 통과하면 하얀색 도화지에 ⓑ_____ 빛만 나타난다.
③ 햇빛은 ⓒ_____ 가지 색깔의 빛으로 이루어져 있고, 레이저 지시기의 빛은 ⓓ___ 가지 색깔로 이루어져 있다.

2. 프리즘에 의한 빛의 분산

① 프리즘 : 유리나 플라스틱 등으로 만든 투명한 삼각기둥 모양의 기구
② 빛의 ⓔ_____ : 빛이 여러 가지 색깔의 빛으로 나누어지는 현상

③ 햇빛 : 여러 빛깔로 이루어져 있다. ➡ 백색광
④ 레이저 지시기의 빛 : 한 가지 빛깔로 이루어져 있다. ➡ 단색광

3. 빛의 분산에 의해 나타나는 현상

① 스펙트럼 : 프리즘 등에 의해 빛이 분산되어 여러 가지 색깔의 띠가 나타난다.

② ⓐ_____ : 비가 그친 후 태양의 반대쪽에 일곱 색깔의 반원 모양의 원형 띠가 나타난다.

③ 건물 내부 장식 : 프리즘을 통과한 빛이 내부 벽면에 아름답게 나타난다.

④ CD 뒷면의 무지개 무늬 : CD 뒷면의 작은 홈에서 빛이 분산되어 무지개 무늬가 생긴다.

▲ 스펙트럼　　　　▲ 무지개　　　　▲ 프리즘 건물 내부 장식　　　　▲ CD 뒷면

★더 알아보기　빛의 합성

여러 가지 색깔의 빛을 합하면 다른 색깔 빛을 만들 수 있다.
빛은 합성할수록 밝아진다.

• 빨간색+초록색 → 노란색
• 빨간색+파란색 → 자홍색
• 초록색+파란색 → 청록색
• 빨간색+초록색+파란색 → 흰색

★생활 속 과학　물방울이 만든 무지개

무지개는 햇빛이 공기 중의 작은 물방울에 의해 분산되어 생긴다. 무지개는 태양 반대쪽에 생기고, 가장 위쪽은 빨간색, 가장 아래쪽은 보라색이다. 이때 작은 물방울이 프리즘 역할을 한다.

• 무지개를 볼 수 있는 조건 : 태양을 등지고 있을 때, 공기 중에 작은 물방울이 있을 때
• 무지개가 나타나는 위치 : 태양 반대편에 생기므로 아침에는 서쪽 하늘에서, 저녁에는 동쪽 하늘에서 볼 수 있다.

• 무지개의 색깔 : 무지개는 한 개의 물방울이 아니라 여러 개의 물방울에서 분산된 빛이 조합되어 우리 눈에 동시에 보이는 것이다. 하나의 물방울에서 분산되어 나오는 여러 가지 빛 중 한 가지 색깔만 우리 눈에 들어온다. 우리 눈에 가장 위쪽 물방울에서 분산된 빛 중에서는 빨간색 빛이 보이고, 가장 아래쪽 물방울에서 분산된 빛 중에서는 보라색 빛만 보인다.

개념 더하기

● 빛의 3원색

　빨간색, 초록색, 파란색을 빛의 3원색이라고 하며, 빛의 3원색을 적절히 합성하면 거의 모든 색깔의 빛을 만들 수 있다.

● 빛의 합성 이용

　텔레비전 화면, 컴퓨터 모니터, 스마트폰의 액정, 전광판, 무대 조명, 점묘화 등

용어 풀이

☑ 합성(합할 슴, 이룰 成)
　둘 이상의 것을 합쳐서 하나를 만듦

정답
ⓐ 무지개

개념 더하기

● 전반사

빛이 물에서 공기로 50°보다 큰 각도로 들어가면 경계면에서 굴절하지 않고 모두 반사된다. 이를 전반사라고 한다. 전반사는 광통신, 직각 프리즘, 내시경 등에 이용된다.

용어 풀이

☑ 경계(땅의 가장자리 境, 땅의 가장자리 界)
구분되는 곳

2 빛의 굴절

1. 공기와 물이 만나는 경계에서 빛이 나아가는 모습

★ 탐구 공기와 물이 만나는 경계에서 빛이 나아가는 모습

탐구 과정

① 투명한 사각 수조에 물을 $\frac{2}{3}$ 정도 높이까지 채우고 우유를 4~5방울 떨어뜨린 후 유리 막대로 젓는다.

② 수면 근처에서 향을 피워 수조에 향 연기를 채우고 투명한 아크릴판으로 덮는다.

③ 수조 위쪽에서 아래쪽으로 레이저 지시기의 빛을 여러 각도에서 비추고 빛이 나아가는 모습을 관찰한다.

④ 수조를 책상 바깥쪽으로 2~3cm 뺀 다음 수조 아래쪽에서 위쪽으로 레이저 지시기의 빛을 여러 각도에서 비추고 빛이 나아가는 모습을 관찰한다.

실험 결과 및 결론

① 빛이 공기 중에서 물로 또는 물에서 공기 중으로 ⓐ＿＿＿＿＿으로 나아갈 때는 꺾이지 않고 그대로 들어간다.

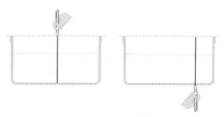

② 빛이 공기 중에서 물로 또는 물에서 공기 중으로 ⓑ＿＿＿＿＿ 나아갈 때는 공기와 물의 경계에서 꺾인다.

2. 빛의 굴절

① 빛의 ⓐ＿＿＿＿ : 다른 물질의 경계에서 빛이 꺾여 나가는 현상

② 여러 가지 물질과 빛의 굴절 : 물질에 따라 빛이 꺾이는 정도가 다르다.

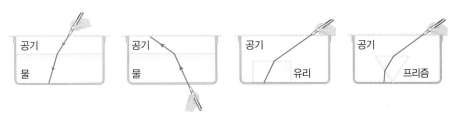

3. 물속에 있는 물체가 보이는 모습

① 컵 속의 동전 : 물을 넣지 않은 상태에서 몸을 서서히 위아래로 움직이면서 동전이 보이다가 보이지 않는 위치에서 멈춘 후 컵에 물을 부으면 동전이 떠 보인다.

② 컵 속의 빨대 : 컵에 빨대를 넣고 물을 붓지 않은 상태에서는 빨대가 곧게 보인다. 그러나 컵에 물을 부으면 빨대가 꺾여 보이고 옆에서 보면 분리된 것처럼 보인다.

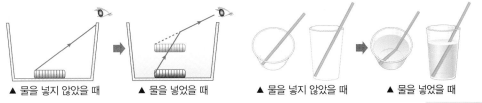

▲ 물을 넣지 않았을 때   ▲ 물을 넣었을 때   ▲ 물을 넣지 않았을 때   ▲ 물을 넣었을 때

③ 물속에 있는 물체가 다르게 보이는 이유 : 물속에 있는 물체에서 나온 빛은 물과 공기의 경계에서 ⓑ＿＿＿＿ 하지만 공기 중에 있는 사람은 빛의 굴절을 느끼지 못하고 굴절된 빛의 연장선에 물체가 있다고 인식하기 때문이다.

빛의 굴절

4. 빛의 굴절에 의한 현상

① 물속에 있는 물체가 실제 위치보다 떠올라 있는 것처럼 보인다.

② 밤하늘의 별이 실제 위치보다 높은 곳에 있는 것처럼 보인다.

③ 사막이나 뜨거운 도로에서 신기루나 아지랑이가 보인다.

④ 더운 날 해안가에서 신기루가 보인다.

⑤ 물속의 물고기가 실제보다 크게 보이고 떠 보인다.

⑥ 물에 잠긴 다리가 실제보다 굵고 짧게 보인다.

개념 더하기

● **빛이 굴절하는 이유**

• 장난감 자동차가 포장도로에서 잔디밭으로 비스듬히 들어가면 잔디밭에 먼저 닿은 바퀴는 속도가 느려지지만 포장도로 위에 있는 바퀴는 속도가 느려지지 않기 때문에 바퀴의 진행 방향이 잔디밭 쪽으로 꺾인다.

• 빛도 속도가 빠른 공기 중에서 속도가 느린 물로 비스듬히 진행하면 속도 차이 때문에 굴절된다.

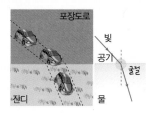

● **물속의 물고기가 실제보다 크게 보이는 이유**

용어 풀이

▽ **굴절(굽을 屈, 꺾을 折)**
휘어서 꺾이는 것

정답

론론 ⓐ   론론 ⓑ

개념기르기

01 다음 중 햇빛을 검은색 도화지의 좁고 긴 구멍을 통해 프리즘을 통과하도록 비췄을 때 나타나는 현상으로 옳은 것은 어느 것입니까? ( )

햇빛

프리즘

① 프리즘을 통과한 후 사라진다.
② 프리즘을 통과한 후 색깔이 바뀐다.
③ 프리즘을 통과한 후 곧바로 나아간다.
④ 프리즘을 통과한 후 반사되어 되돌아 나온다.
⑤ 프리즘을 통과한 후 여러 가지 색깔의 빛으로 나누어진다.

02 다음 중 레이저 지시기의 빨간색 빛을 프리즘을 통과하도록 비췄을 때 나타나는 현상으로 옳은 것은 어느 것입니까? ( )

레이저 지시기 프리즘

하얀색 도화지

① 하얀색 도화지에 무지개가 나타난다.
② 하얀색 도화지에 스펙트럼이 나타난다.
③ 하얀색 도화지에 빨간색 빛만 나타난다.
④ 하얀색 도화지에 아무 것도 나타나지 않는다.
⑤ 레이저 지시기의 빛은 프리즘에서 한 번 꺾인다.

03 다음 중 햇빛과 레이저 지시기의 빛을 프리즘에 통과시키는 실험으로 알 수 있는 사실로 옳은 것을 <u>모두</u> 고르세요. (,)

① 햇빛은 여러 빛깔로 이루어져 있다.
② 햇빛은 프리즘을 통과할 때 한 번 꺾인다.
③ 레이저 지시기의 빛은 여러 빛깔로 이루어져 있다.
④ 레이저 지시기의 빛은 프리즘을 통과할 때 두 번 꺾인다.
⑤ 프리즘은 햇빛과 레이저 지시기의 빛을 여러 빛깔로 나누어 준다.

04 다음 중 우리 생활에서 빛이 여러 빛깔로 나누어지는 경우로 옳지 <u>않은</u> 것을 <u>모두</u> 고르세요. (,)

① 햇빛을 거울에 비춘 경우
② CD 표면에 햇빛을 비춘 경우
③ 햇빛을 프리즘에 통과시키는 경우
④ 태양을 등지고 분무기로 물을 뿌린 경우
⑤ 레이저 지시기의 빛을 프리즘에 통과시킨 경우

05 다음 그림과 같이 물에서 공기로 레이저 지시기의 빛을 비추었을 때 빛이 나아가는 모습을 바르게 설명한 것으로 옳은 것은 어느 것입니까? ( )

① 물 표면에서 멈춘다.
② 물 표면에서 사라진다.
③ 진행하던 방향으로 그대로 직진한다.
④ 물 표면에서 공기쪽으로 꺾여 나아간다.
⑤ 물 표면에서 물속으로 꺾여 나아간다.

06 다음 중 레이저 지시기의 빛이 꺾이지 않는 경우로 옳은 것을 <u>모두</u> 고르세요.   (,   )

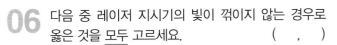
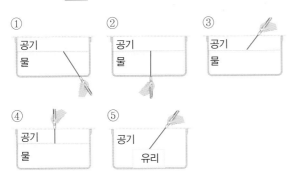

07 다음과 같이 공기 중에서 물속으로 비스듬하게 레이저 지시기의 빛을 비출 때 물속에서 빛이 나아가는 모습으로 옳은 것은 어느 것입니까?   (   )

08 물을 붓기 전에 보이지 않던 동전이 컵에 물을 부었더니 보였습니다. 이와 같은 원리에 의해 일어나는 현상으로 옳은 것은 어느 것입니까?   (   )

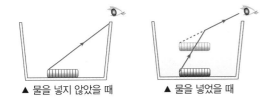

① 물속에 잠긴 다리가 짧아 보인다.
② 잠망경으로 물속에서 물 밖을 볼 수 있다.
③ 잔잔한 호수의 수면에 주위의 경치가 비친다.
④ 햇빛을 프리즘에 통과시키면 여러 가지 색의 빛깔로 나누어진다.
⑤ 향 연기가 있는 곳에 레이저 지시기의 빛을 비추면 빛이 지나가는 길이 보인다.

09 다음 중 빛이 다른 물질의 경계에서 꺾여 나아가는 현상을 무엇이라고 합니까?   (   )

① 빛의 직진   ② 빛의 반사
③ 빛의 굴절   ④ 빛의 합성
⑤ 빛의 나아감

10 컵에 빨대를 넣고 물을 넣지 않았을 때는 빨대가 곧게 보이지만 물을 넣으면 물속에 잠긴 빨대가 꺾여 보입니다. 그 이유로 옳은 것은 어느 것입니까? (   )

▲ 물을 넣지 않았을 때   ▲ 물을 넣었을 때

① 빛이 물에 모두 흡수되기 때문이다.
② 빛이 공기와 물의 경계에서 반사되기 때문이다.
③ 빛이 공기와 물의 경계에서 분산되기 때문이다.
④ 빛이 공기와 물의 경계에서 굴절되기 때문이다.
⑤ 빛이 공기와 물의 경계에서 직진하기 때문이다.

11 빛의 굴절에 의한 현상으로 옳지 <u>않은</u> 것은 어느 것입니까?   (   )

① 물에 잠긴 다리가 실제보다 굵게 보인다.
② 물속의 물고기가 실제보다 크게 보인다.
③ 뜨거운 도로에서 신기루나 아지랑이가 보인다.
④ 밤하늘의 별이 실제 위치보다 높은 곳에 있는 것처럼 보인다.
⑤ 물속에 있는 물체가 실제 위치보다 더 깊이 있는 것처럼 보인다.

서술형으로 다지기

손에 잡히는 문제 해결

빛은 다른 물질의 경계에서
어떻게 되나요?

▼

빛이 공기에서 식용유로 들어갈 때
꺾이는 방향은 어느 쪽인가요?

▼

빛이 식용유에서 물로 들어갈 때
꺾이는 방향은 어느 쪽인가요?

01 투명한 사각 수조에 물과 식용유를 층이 이루도록 넣은 후 수조 위쪽에서 비스듬히 레이저 지시기의 빛을 비췄습니다. 레이저 지시기의 빛이 나아가는 모습을 그리고, 그렇게 그린 이유를 적어보세요. (단, 빛은 물보다 식용유에서 더 많이 꺾인다.)

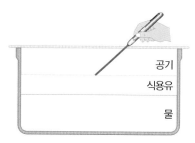

공기

식용유

물

손에 잡히는 문제 해결

물에 들어 있는 유리 막대는
어떻게 보이나요?

▼

식용유에 들어 있는 유리 막대는
어떻게 보이나요?

▼

물체마다 빛이 굴절하는
정도는 어떨까요?

02 물이 담긴 컵에 유리 막대를 넣으면 유리 막대가 꺾여 보입니다. 그런데 물과 식용유가 담긴 컵에 유리 막대를 넣으면 식용유에서는 유리 막대가 사라집니다. 식용유에서 유리 막대가 사라지는 이유를 적어보세요.

▲ 물에 넣은 유리 막대

▲ 물과 식용유에 넣은 유리 막대

03 냇가에서 물의 깊이를 눈으로 어림하면 실제보다 얕아 보입니다. 물의 깊이가 실제보다 얕아 보이는 이유를 적어보세요.

04 현준이는 물속의 물고기를 작살과 레이저 총을 이용하여 잡으려고 합니다. 물고기를 잡으려면 각각 어느 위치를 향해 작살을 던지거나 레이저 총을 쏴야 하는지 이유와 함께 적어보세요.

▲ 작살로 잡을 때　　　　▲ 레이저 총으로 잡을 때

STEAM

- ✔ Science
  - ▶ 빛의 굴절
- ✔ Technology
  - ▶ 신기루
- ☐ Engineering
- ☐ Art
- ☐ Mathematics

빛이 만들어 낸 유령 도시

2011년 6월 28일 중국 황산시의 신안강을 따라 대규모의 유령 도시가 나타났다. 안개가 자욱해 아무것도 식별할 수 없는 신안강 주변에 음산한 도시의 모습이 나타나 오랜 시간 동안 지속되었다. 이 유령 도시는 빛이 만들어낸 신기루이다. 더운 여름 뜨거운 열에 가열된 아스팔트 도로로 차가 달릴 때 바닥에 물웅덩이가 아른거리는 것처럼 보이는 경우가 있다. 그러나 가까이 가면 바로 사라지고 얼마 후 다시 물웅덩이가 나타난다. 이러한 현상도 신기루이다.

▲ 중국 황산시의 유령 도시　　▲ 아스팔트 물웅덩이　　▲ 바다 위에 떠 있는 배　　신기루

신기루는 불안정한 대기에서 빛이 굴절돼 물체가 실제 위치가 아닌 곳에서 보이는 현상으로 일종의 착시 현상이다. 땅의 온도가 매우 높은 사막에서는 하늘이 비쳐 물이 있는 것처럼 보인다. 반대로 땅은 매우 차갑고 그 위쪽이 따뜻한 극지방의 바다에서는 먼 곳에 있는 사물이 공중에 떠 있거나 거꾸로 비쳐 보인다. 신기루는 주로 사막이나 극지방의 바다처럼 대기의 온도 차가 큰 곳에서 쉽게 볼 수 있다.

우리가 물체를 볼 수 있는 것은 물체에 반사된 빛이 우리 눈으로 들어오기 때문이다. 빛이 물질을 통과할 때 물질의 밀도가 높을수록 속도가 느려진다. 같은 물질이라도 따뜻한 공기는 밀도가 낮고 차가운 공기는 밀도가 높다. 이처럼 온도가 달라지면 밀도가 달라져 빛이 굴절하고, 이로 인해 물체의 위치가 다르게 보인다.

1 불안정한 대기층에서 빛이 굴절돼 물체가 실제 위치가 아닌 곳에서 목격되는 현상을 무엇이라고 하는지 적어보세요.

용어 풀이

✔ **신기루(큰 조개 蜃, 기운 氣, 다락 樓)**
대기 속에서 빛의 굴절 현상에 의하여 공중이나 땅 위에 무엇이 있는 것처럼 보이는 현상

✔ **밀도(빽빽할 密, 정도 度)**
빽빽한 정도

2 매우 더운 여름에 공중에 유령 도시가 나타나는 이유를 적고, 이때 빛의 경로를 그려보세요.

손에 잡히는 STEAM

빛이 굴절하는 이유는 무엇인가요?

▼

빛은 따뜻한 공기와 차가운 공기 중 어느 곳에서 속도가 빠를까요?

▼

빛이 따뜻한 공기에서 차가운 공기 쪽으로 비스듬히 나아가면 어떻게 될까요?

논술형

3 우리 주변에서 볼 수 있는 빛의 굴절에 의한 현상을 두 가지 적어보세요.

손에 잡히는 STEAM

빛의 굴절은 무엇인가요?

▼

빛이 굴절하는 경우는 언제인가요?

▼

우리 주변에서 찾을 수 있는
빛의 굴절 현상은 무엇이 있을까요?

08 볼록 렌즈의 특징과 이용

1 볼록 렌즈의 특징

1. 볼록 렌즈 모양

① 앞에서 보면 둥글다.

② 렌즈의 가운데 부분이 가장자리 부분보다 ⓐ_____다.

2. 볼록 렌즈에서 빛이 나아가는 모습

① 볼록 렌즈는 빛을 ⓑ_____시킨다.

② 볼록 렌즈의 통과한 빛은 ⓒ_____으로 모인다.

초점

볼록 렌즈

3. 볼록 렌즈로 본 물체의 모습

구분	볼록 렌즈와 눈 사이의 거리가 한 뼘 길이 정도일 때	볼록 렌즈와 눈 사이의 거리가 한 팔 길이 정도일 때
볼록 렌즈에서 한 뼘 길이 정도 가까이 있는 물체	ⓓ_____고 ⓔ_____로 보인다.	크고 똑바로 보인다.
볼록 렌즈에서 한 팔 길이보다 멀리 있는 물체	크고 똑바로 보인다.	ⓕ_____고 ⓖ_____로 보인다.

4. 볼록 렌즈와 같은 역할을 하는 것

① 물이 있는 둥근 어항

② 둥근 유리 막대

③ 물방울

④ 돋보기 안경

▲ 물이 있는 둥근 어항   ▲ 둥근 유리 막대   ▲ 물방울

개념 더하기

● 볼록 렌즈를 통해 맺히는 상

· 초점 거리보다 가까이 있는 물체 : 실제 물체의 모습보다 크고 똑바로 선 상이 맺힌다.

상   초점

· 초점 거리보다 멀리 있는 물체 : 실제 물체의 모습보다 작고 거꾸로 된 상이 맺힌다.

상
초점

용어 풀이

☑ 렌즈(lens)
유리나 플라스틱과 같이 투명한 물질을 오목하거나 볼록하게 만들어 빛이 퍼지거나 모아지게 하는 기구

☑ 초점(태울 焦, 점 點)
렌즈를 통과한 빛이 한곳으로 모이는 점

정답

ⓖ 거꾸

ⓓ 작 ⓔ 거꾸로   ⓕ 작

ⓐ 두껍   ⓑ 굴절   ⓒ 한곳

2 볼록 렌즈를 통과한 햇빛

1. 볼록 렌즈를 통과한 햇빛

★탐구   볼록 렌즈를 통과한 햇빛 관찰하기

탐구 과정

① 운동장에서 태양, 볼록 렌즈, 하얀색 도화지가 일직선이 되게 한다.
② 볼록 렌즈에 가까이 있던 하얀색 도화지를 점점 멀리하면서 볼록 렌즈를 통과한 햇빛이 하얀색 도화지 위에 만든 원의 크기를 관찰한다.
③ 볼록렌즈와 하얀색 도화지를 약 15 cm 거리로 두고, 10초 뒤에 볼록 렌즈가 하얀색 도화지에 만든 원 안의 온도를 적외선 온도계로 측정한다.
④ 볼록 렌즈 대신 평면 유리를 사용하여 동일하게 실험한다.

탐구 결과 및 결론

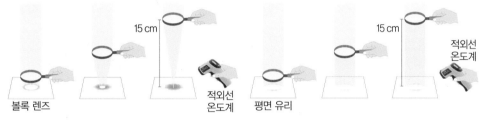

① 볼록 렌즈와 하얀색 도화지의 사이가 점점 멀어지면 밝은 원 부분의 크기가 점점 ⓐ＿＿＿＿＿지고 밝기는 ⓑ＿＿＿＿진다.
② 볼록 렌즈와 하얀색 도화지 사이가 15 cm일 때 밝은 원 부분의 크기가 가장 작고 밝기가 가장 밝다.
③ 볼록 렌즈와 하얀색 도화지 사이가 15 cm일 때 밝은 원 부분의 온도는 도화지의 다른 곳보다 ⓒ＿＿＿다.
④ 평면 유리와 하얀색 도화지의 사이가 점점 멀어져도 밝은 원 부분의 크기, 밝기, 온도에 변화가 ⓓ＿＿＿다.
⑤ ⓔ＿＿＿＿＿＿로 햇빛을 모으면 모아진 빛의 넓이가 좁아지고 밝기는 밝아지며, 온도는 높아진다.
⑥ ⓕ＿＿＿＿＿＿로는 햇빛을 모을 수 없다.

2. 볼록 렌즈로 그린 그림

① 볼록 렌즈는 빛을 굴절시키므로 빛을 모을 수 있다.
② 볼록 렌즈로 햇빛을 모으면 빛이 모인 지점은 온도가 높기 때문에 종이를 태울 수 있다.

개념 더하기

● **볼록 렌즈로 햇빛 모으기 실험할 때 주의 사항**

• 볼록 렌즈로 태양을 직접 보지 않는다.
• 볼록 렌즈로 햇빛을 모을 때 화상이나 화재의 위험이 있으므로, 안전에 주의한다.
• 볼록 렌즈를 이용하여 아무 물체나 태우지 않는다.
• 햇빛과 볼록 렌즈가 하얀색 도화지에 만든 원을 오랫동안 바라보지 않고, 피부에 닿지 않도록 한다.

정답

ⓐ 작아, ⓑ 밝아, ⓒ 높
ⓓ 없, ⓔ 볼록 렌즈
ⓕ 평면 유리

개념 더하기

● **볼록 렌즈의 초점 거리 어림하기**
볼록 렌즈로 햇빛을 한 점으로 모았을 때 모인 햇빛과 렌즈 사이의 거리로 초점 거리를 어림할 수 있다. 간이 사진기 원통의 길이는 볼록 렌즈의 초점 거리보다 길게 만들어야 한다.

초점 거리

● **간이 사진기로 본 주위 풍경**

용어 풀이

☑ **간이 사진기**(간략할 簡, 쉬울 易 −)
볼록 렌즈와 반투명한 종이를 이용하여 물체의 상이 맺히도록 만든 기구

정답

ⓔ 우좌하상 ⓓ 굴절
ⓒ 가깝 ⓑ 멀리 ⓐ 가

---

3 간이 사진기

1. 간이 사진기 만들기

★**탐구**   간이 사진기 만들기

탐구 과정
① 검은색 골판지에 볼록 렌즈의 옆면으로 홈을 낸다.
② 홈에 볼록 렌즈를 끼우고 둥글게 말아 큰 원통을 만든다.
③ 큰 원통의 양쪽 끝을 고무줄로 고정한다.
④ 큰 원통에 끼울 작은 원통을 만든다.
⑤ 작은 원통의 한쪽 끝에 반투명한 종이를 붙여 스크린을 만든다.
⑥ 큰 원통에 작은 원통을 끼워 간이 사진기를 만든다.

볼록 렌즈   반투명한 종이

탐구 결과 및 결론
① 간이 사진기로 글자 '가'를 관찰하며 상하좌우가 바뀌어 ⓐ＿＿＿와 같이 보인다.
② 가까이 있는 물체를 볼 때에는 반투명한 종이가 붙어 있는 작은 원통을 렌즈와 ⓑ＿＿＿＿ 하고, 멀리 있는 물체를 볼 때에는 반투명한 종이가 붙어 있는 작은 원통을 렌즈와 ⓒ＿＿＿게 한다.

2. 간이 사진기 원리
① 간이 사진기의 볼록 렌즈를 통해 ⓓ＿＿＿＿된 빛이 반투명한 종이에 물체의 모습을 만든다.
② 간이 사진기로 본 물체의 모습은 ⓔ＿＿＿＿＿＿＿가 바뀐 모습이다.

실제 물체   볼록 렌즈   초점   상   간이 사진기

3. 간이 사진기로 물체 관찰하기

가까이 있는 물체를 관찰할 때	멀리 있는 물체를 관찰할 때
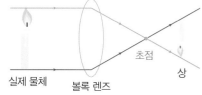 초점	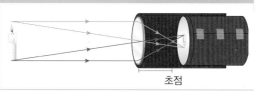 초점
반투명한 종이가 붙어 있는 작은 원통을 볼록 렌즈와 멀리 한다.	반투명한 종이가 붙어 있는 작은 원통을 볼록 렌즈와 가깝게 한다.

4 볼록 렌즈의 이용

1. 우리 생활에서 볼록 렌즈가 이용되는 곳

기구 이름	기구 용도
망원경	먼 곳에 있는 물체를 크고 정확하게 보여 준다.
루페	물체의 모습을 크게 보여 준다.
원시경	원시가 있는 사람이 가까이 있는 물체를 선명하게 볼 수 있게 해 준다.
돋보기	물체를 확대하여 보여 준다.
사진기	물체에서 반사된 빛이 모이도록 하여 물체의 상이 생기도록 한다.
현미경	매우 작은 물체를 크게 확대하여 볼 수 있게 해 준다.
빔 프로젝터	빛을 이용하여 동영상이나 이미지를 스크린에 크게 비추어 준다.
수술용 안경	수술 시 작은 부분을 크게 확대하여 볼 수 있게 해 준다.

▲ 망원경　　▲ 루페　　▲ 원시경　　▲ 사진기　　▲ 현미경　　▲ 빔 프로젝터　　▲ 수술용 안경

★더 알아보기　오목 렌즈의 특징과 이용

① 오목 렌즈 모양 : 옆에서 보면 가운데 부분이 가장자리 부분보다 ⓐ_____다.
② 오목 렌즈에서 빛이 나아가는 모습 : 초점에서 사방으로 ⓑ_____다.
③ 오목 렌즈로 본 물체의 모습
· 가까이 있는 물체 : ⓒ_____고 ⓓ_____로 보인다.
· 멀리 있는 물체 : 더 작고 똑바로 보인다.
④ 오목 렌즈의 역할을 하는 것 : 물이 들어 있는 투명한 병의 오목한 밑면

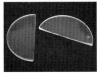

초점

▲ 오목 렌즈 단면　▲ 오목 렌즈에서 빛의 경로　▲ 가까이 있는 물체　▲ 멀리 있는 물체　▲ 물병의 오목한 밑면

⑤ 오목 렌즈의 이용
· 근시경 : 근시가 있는 사람이 멀리 있는 물체를 선명하게 볼 수 있게 해 준다.
· 휴대용 망원경의 접안렌즈 : 망원경으로 본 상이 거꾸로 보이지 않게 해 준다.

개념 더하기

● 오목 렌즈를 통해 맺히는 상

· 가까이 있는 물체 : 실제 물체의 모습보다 작고 똑바로 된 상이 맺힌다.

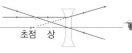

초점　상

· 멀리 있는 물체 : 실제 물체의 모습보다 더 작고 똑바로 된 상이 맺힌다.

초점　상

● 여러 가지 오목 렌즈 모양

● 오목 렌즈의 이용

▲ 근시경　　▲ 망원경 접안렌즈

용어 풀이

☑ 원시(멀 遠, 볼 視)
멀리 있는 물체는 잘 보이고, 가까이 있는 물체를 잘 볼 수 없는 시력

☑ 근시(가까울 近, 볼 視)
가까이 있는 물체는 잘 보이고, 멀리 있는 물체를 잘 볼 수 없는 시력

정답

ⓐ 얇다　ⓑ 퍼진다　ⓒ 작
ⓓ 똑바로

01 다음 중 볼록 렌즈에 대한 설명으로 옳지 <u>않은</u> 것은 어느 것입니까? ( )

① 색이 투명하다.
② 앞에서 보면 둥글다.
③ 렌즈를 만져보면 가운데 부분이 두껍다.
④ 옆에서 보면 가운데가 오목하다.
⑤ 빛을 모아준다.

02 다음 중 볼록 렌즈로 물체를 보았을 때에 대한 설명으로 옳은 것은 어느 것입니까? ( )

① 물체가 항상 작게 보인다.
② 물체가 항상 똑바로 보인다.
③ 실제 물체와 크기가 같게 보인다.
④ 렌즈로부터 멀리 있는 물체를 보면 항상 작고 거꾸로 보인다.
⑤ 렌즈로부터 가까이 있는 물체를 보면 항상 크고 똑바로 보인다.

03 다음 중 물체를 비추어 보았을 때 볼록 렌즈로 관찰한 결과와 <u>다른</u> 것은 어느 것입니까? ( )

① 물방울
② 돋보기 안경
③ 둥근 유리 막대
④ 물이 들어 있는 둥근 어항
⑤ 물이 들어 있는 투명한 병의 오목한 밑면

04 다음 중 공기에서 진행하던 빛이 볼록 렌즈를 통과할 때 나타나는 현상에 대한 설명으로 옳은 것을 모두 고르세요. (,)

① 빛이 볼록 렌즈를 통과하면 곧게 나아간다.
② 빛이 볼록 렌즈를 통과하면 한 점으로 모인다.
③ 빛이 볼록 렌즈를 통과하면 바깥쪽으로 퍼진다.
④ 빛이 볼록 렌즈를 통과할 때 진행 방향이 바뀐다.
⑤ 빛은 렌즈를 통과하여도 진행 방향이 바뀌지 않는다.

05 다음과 같이 햇빛을 볼록 렌즈와 평면 유리에 각각 통과시켰을 때 하얀색 도화지 위에 나타난 모습을 관찰했습니다. 관찰 결과에 대한 설명으로 옳지 <u>않은</u> 것은 어느 것입니까? ( )

볼록 렌즈   평면 유리

① 볼록 렌즈와 하얀색 도화지 사이의 거리를 점점 멀리하면 밝은 원 부분의 크기가 점점 작아진다.
② 볼록 렌즈와 하얀색 도화지 사이의 거리를 점점 멀리하면 원의 밝기가 점점 밝아진다.
③ 볼록 렌즈로 실험했을 때 하얀색 도화지의 밝은 부분의 온도는 도화지의 다른 곳보다 높다.
④ 평면 유리와 하얀색 도화지 사이의 거리를 점점 멀리하면 밝은 원 부분의 크기가 점점 커진다.
⑤ 볼록 렌즈를 이용하면 햇빛을 모을 수 있지만 평면 유리를 이용하면 햇빛을 모을 수 없다.

06 다음 중 검은색 골판지와 렌즈를 이용하여 만든 간이 사진기에 대한 설명으로 옳지 <u>않은</u> 것은 어느 것입니까? ( )

① 간이 사진기는 볼록 렌즈를 이용한다.

② 간이 사진기로 물체를 관찰하면 상하좌우가 바뀌어 보인다.

③ 오목 렌즈를 이용해도 관찰 결과가 같게 나타난다.

④ 멀리 있는 물체를 볼 때에는 렌즈와 반투명한 종이 사이의 거리를 가깝게 해야 한다.

⑤ 가까이 있는 물체를 볼 때에는 렌즈와 반투명한 종이 사이의 거리를 멀리 해야 한다.

07 다음 중 간이 사진기로 글자 '나'를 보았을 때 결과로 옳은 것은 어느 것입니까? ( )

① 나   ② ㅜㅗ   ③ ㄷㅜ
④ ㅏㄴ   ⑤ ㅓㅓ

08 다음 중 간이 사진기에서 렌즈의 역할에 대한 설명으로 옳은 것은 어느 것입니까? ( )

① 빛을 반사한다.

② 물체를 확대한다.

③ 빛을 퍼지게 한다.

④ 빛을 차단시켜 어둡게 한다.

⑤ 빛을 모아 물체의 모습이 나타나게 한다.

09 간이 사진기로 가까이 있는 물체를 보다가 멀리 있는 물체를 보니 선명하게 보이지 않았습니다. 멀리 있는 물체를 선명하게 볼 수 있는 방법으로 옳은 것을 <u>모두</u> 고르세요. (,)

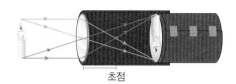

초점

① 볼록 렌즈를 오목 렌즈로 바꾼다.

② 큰 원통을 작은 원통 밖으로 잡아당긴다.

③ 큰 원통을 작은 원통 쪽으로 밀어 넣는다.

④ 작은 원통을 큰 원통 밖으로 잡아당긴다.

⑤ 작은 원통을 큰 원통 안으로 밀어 넣는다.

10 렌즈를 이용한 여러 가지 도구 중 사용되는 렌즈의 종류가 나머지와 <u>다른</u> 것은 어느 것입니까? ( )

① 루페   ② 근시경   ③ 돋보기
④ 원시경   ⑤ 현미경

11 다음 중 렌즈를 이용한 기구에 대한 설명으로 옳지 <u>않은</u> 것은 어느 것입니까? ( )

① 돋보기 : 물체를 크게 볼 수 있다.

② 망원경 : 먼 곳의 물체를 크게 볼 수 있다.

③ 현미경 : 작은 물체의 모습을 크게 볼 수 있다.

④ 사진기 : 렌즈를 이용하여 빛을 한 점에 모은다.

⑤ 근시경 : 가까이 있는 물체를 선명하게 볼 수 있다.

서술형으로 다지기

🔍 손에 잡히는 문제 해결

볼록 렌즈로 햇빛을 모으면 밝기가
밝아지는 이유는 무엇인가요?

🔽

볼록 렌즈의 특징은 무엇인가요?

🔽

오목 렌즈의 특징은 무엇인가요?

01 다음은 볼록 렌즈로 햇빛을 모으는 실험 방법과 실험 결과를 나타낸 것으로, 볼록 렌즈로 햇빛을 모으면 그 부분의 밝기가 밝아집니다. 같은 방법으로 오목 렌즈를 이용하여 실험할 경우, 실험 결과를 이유와 함께 적어보세요.

🔍 손에 잡히는 문제 해결

정상 시력과과 원시의
차이점은 무엇인가요?

🔽

원시를 교정하려면
어떤 부분을 수정해야 하나요?

🔽

원시를 교정하려면
어떤 렌즈를 사용해야 할까요?

02 우리 눈에는 수정체라고 불리는 볼록 렌즈가 있습니다. 정상 시력인 사람은 수정체가 빛을 굴절시켜 망막에 모이게 하므로 물체를 잘 볼 수 있습니다. 그러나 원시는 각막이 평평하거나 눈이 작아 빛이 모이는 부분이 망막보다 뒤쪽에 있어 먼 곳은 잘 보이지만 가까운 곳은 잘 보이지 않습니다. 원시를 교정하려면 어떤 렌즈를 사용해야 하는지 이유와 함께 적어보세요.

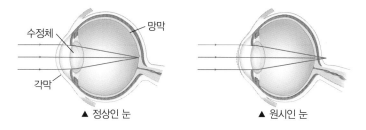

▲ 정상인 눈　　　　▲ 원시인 눈

원시 교정

03 다음은 과학 시간에 사용하는 현미경입니다. 현미경에서 렌즈가 이용되는 곳을 표시하고 어떤 렌즈를 이용한 것인지 기구의 용도와 함께 적어보세요.

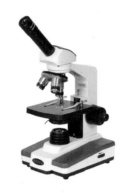

손에 잡히는 문제 해결

현미경을 언제 사용하나요?

▼

현미경으로 물체를 관찰하면
물체가 어떻게 보이나요?

▼

현미경에 사용된 렌즈는 무엇인가요?

04 다음은 간이 사진기로 물체를 관찰한 모습입니다. 간이 사진기의 볼록 렌즈 윗부분 절반을 두꺼운 종이로 가리면 반투명한 종이에 나타난 상의 모습이 어떻게 달라지는지 이유와 함께 적어보세요.

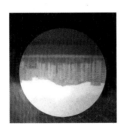 

손에 잡히는 문제 해결

볼록 렌즈를 통과한 빛은
어떻게 되나요?

▼

렌즈의 반을 가리면 가리지
않았을 때와 다른 점은 무엇인가요?

▼

렌즈를 통과하여 모습이 나타나는 데
영향을 주는 것은 무엇일까요?

융합사고력 키우기

STEAM

- ✓ **Science**
  - ▶ 빛의 굴절
- **Technology**
- ✓ **Engineering**
  - ▶ 굴절 망원경
- **Art**
- **Mathematics**

밤하늘의 별들과 눈인사를 시작하다

인간은 미지의 세계로만 알려져 오던 우주의 탄생과 인류의 기원, 별의 탄생과 죽음에 대한 비밀을 하나둘씩 풀어가고 있다. 망원경의 발명 덕분이다. 망원경이 탄생한 것은 불과 400년 전인 17세기 초이다. 1608년 네덜란드의 안경 제작자인 한스 리퍼세이는 우연히 두 개의 렌즈가 일정한 간격을 유지할 때 물체가 확대된다는 것을 발견하고, 최초의 굴절 망원경을 만들었다.

이 소식을 전해 들은 갈릴레오 갈릴레이는 곧바로 망원경을 제작해 1609년 8월 볼록 렌즈와 오목 렌즈를 조합한 갈릴레이식 망원경을 만들었다. 갈릴레이는 이 망원경으로 밤하늘을 관측하여 여러 사실을 밝혀냈다.

1611년 발표된 케플러식 망원경은 갈릴레이식과 다르게 접안렌즈를 볼록 렌즈로 한 굴절 망원경이다. 케플러식 망원경은 망원경으로 들어오는 빛을 대물렌즈로 모으고, 접안렌즈로 상을 확대해 관찰한다. 케플러는 갈릴레이식 망원경의 단점이었던 좁은 시야와 낮은 배율을 개선해 넓은 시야와 높은 배율이 가능한 망원경으로 발전시켰다. 케플러식 망원경은 갈릴레이식 망원경보다 상대적으로 상이 안정적이다. 따라서 현재 대부분 굴절 망원경은 케플러식을 이용한다.

▲ 갈릴레이 망원경

▲ 케플러 망원경

망원경

1 천체 망원경을 이용해 밤하늘을 관찰하면 화성보다 크기가 훨씬 작은 달이 더 크고 밝게 보입니다. 그 이유를 적어보세요.

용어 풀이

☑ **망원경(바랄 望, 멀 遠, 거울 鏡)**
두 개 이상의 볼록 렌즈나 오목 렌즈를 사용해 멀리 있는 물체를 크고 정확하게 볼 수 있도록 만든 장치

☑ **시야(볼 視, 들 野)**
현미경, 망원경, 사진기의 렌즈로 볼 수 있는 범위

☑ **배율(곱할 倍, 비율 率)**
현미경, 거울, 망원경으로 물체를 볼 때, 물체와 상의 크기 비율

2 다음 그림은 갈릴레이식 굴절 망원경과 케플러식 굴절 망원경의 원리를 나타낸 것입니다. 갈릴레이식 굴절 망원경과 케플러식 굴절 망원경으로 달을 관찰하면 각각 달이 어떻게 보일지 적어보세요.

대물렌즈   접안렌즈
▲ 갈릴레이식 굴절 망원경

대물렌즈   접안렌즈
▲ 케플러식 굴절 망원경

손에 잡히는 STEAM

갈릴레이식 굴절 망원경의 접안렌즈로 사용한 렌즈는 무엇인가요?

▼

케플러식 굴절 망원경의 접안렌즈로 사용한 렌즈는 무엇인가요?

▼

갈릴레이식 굴절 망원경과 케플러식 굴절 망원경의 차이는 무엇인가요?

논술형
3 굴절 망원경은 대물렌즈로 사용하는 볼록 렌즈의 지름이 클수록 망원경으로 들어오는 빛의 양이 많아지므로 밤하늘을 잘 관찰할 수 있습니다. 현재 가장 큰 굴절 망원경은 1897년에 제작된 미국 시카고 대학교의 여키스 천문대에 있는 망원경으로, 대물렌즈로 사용된 볼록 렌즈의 지름이 102 cm입니다. 이보다 더 큰 지름의 대물렌즈를 가진 굴절 망원경은 만들기 어렵습니다. 그 이유를 적어보세요.

손에 잡히는 STEAM

굴절 망원경에 사용되는 볼록 렌즈의 지름이 크면 어떤 장점이 있나요?

▼

볼록 렌즈의 지름이 무한히 커질 수 없는 이유는 무엇인가요?

▼

지름 1 m 이상의 굴절 망원경을 쉽게 만들 수 없는 이유는 무엇인가요?

탐구력 키우기

쌍안경

보통 사람의 시력은 좋은 경우 2.0~3.0입니다. 아무리 눈이 좋아도 100 m 밖의 모습은 볼 수 없으므로 멀리 있는 사물을 보기 위해서는 망원경을 사용해야 합니다. 쌍안경을 만들어 보고 망원경의 원리를 알아보세요.

준비물

쌍안경 도안, 볼록 렌즈 2개, 오목 렌즈 2개, 양면테이프, 셀로판테이프

탐구 과정

① 도안을 선을 따라 가위로 오린다.
② 가운데 부분은 칼을 이용하여 자른다.
③ 접는 선을 따라서 반듯하게 접는다.
④ 렌즈의 뒷면에 양면테이프를 붙인다.
⑤ 구멍 크기에 맞추어 렌즈를 붙인다.
⑥ 모양대로 접은 후 모서리를 셀로판테이프로 붙여 완성한다.

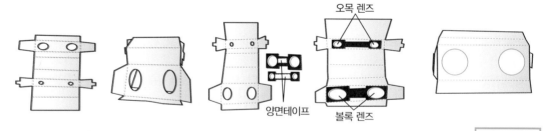

쌍안경 구입처

주의사항

• 렌즈를 손으로 만지지 않고 깨끗하게 닦은 후 관찰한다.
• 쌍안경을 살짝 누르면서 초점을 조절한다.
• 멀리 있는 물체를 관찰한다.

1 쌍안경으로 멀리 있는 물체를 관찰하고, 어떻게 보이는지 적어보세요.

2 나무에서 반사된 빛이 쌍안경의 렌즈를 통해 눈의 망막에 맺히는 경로를 그려보세요.

대물렌즈

접안렌즈

눈

3 쌍안경의 원리를 적어보세요.

STEAM

4 존 틴들은 물탱크에서 뿜어져 나오는 물줄기 안으로 빛을 비추는 실험을 하던 도중, 빛이 곡선을 그리며 물줄기 안에 갇혀 있는 모습을 발견했습니다. 이것은 빛의 전반사에 의한 현상입니다. 전반사의 가장 대표적인 예는 광섬유입니다. 광섬유는 정보를 손실하지 않고 원하는 곳까지 빠르게 전달합니다. 광섬유처럼 전반사를 활용할 수 있는 아이디어를 한 가지 적어보세요.

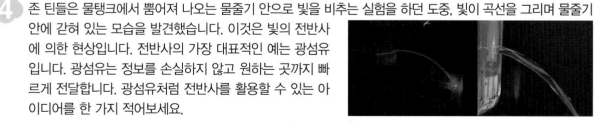

융합인재교육 STEAM 이란?

과학 [Science] S

수학 [Mathematics] M 기술 [Technology] T

STEAM
융합인재교육

예술 [Art] A 공학 [Engineering] E

- 수학, 과학, 기술, 공학 간 상호 연계성 고려, 학문 간 공통 핵심 요소 중심으로 교육
- 예술적 소양을 함양하고 타 학문에 대한 이해가 깊은 미래형 인재 양성으로 교육

[자료 출처 : 한국과학창의재단]

융합인재교육은 과학기술공학과 관련된 다양한 분야의 융합적 지식, 과정, 본성에 대한 흥미와 이해를 높여 창의적이고 종합적으로 문제를 해결할 수 있는 융합적 소양(STEAM Literacy)을 갖춘 인재를 양성하는 교육이라고 정의하고 있다. 학습자가 실제 문제 상황을 다양하게 설계하고 해결하는 과정을 통해 새로운 개념을 생성하고, 창의적으로 설계하며, 더불어 사는 인성, 즉 사회적 감성을 발달하도록 하는 것이다.
이러한 융합인재교육(STEAM)의 목적은 다음과 같이 정리할 수 있다.

❋ 빠르게 변화하는 사회 변화의 적응력을 높이는 것이다.
　❋ 개인의 창의 인성, 지성과 감성의 균형 있는 발달을 돕는 것이다.
　　❋ 타인을 배려하고 협력하며, 소통하는 능력을 함양하는 것이다.
　　　❋ 과학 효능감과 자신감, 과학에 대한 흥미 등을 증진시킴으로써 과학 학습에 대한 동기 유발을 높이는 것이다.
　　　　❋ 융합적 지식 및 과정의 중요성을 인식시키는 것이다.
　　　　　❋ 학습자 중심의 수평적 융합적 교육으로 전환하는 것이다.
　　　　　　❋ 합리적이고 다양성을 인정하는 문화 형성에 기여하는 것이다.
　　　　　　　❋ 대중의 과학화를 기반으로 한 합리적인 사회를 구성하는 데 기여하는 것이다.
　　　　　　　　❋ 창조적 협력 인재를 양성하는 것이다.
　　　　　　　　　❋ 수학, 과학, 기술, 공학 간 상호 연계성 고려, 학문 간 공통 핵심 요소 중심으로 교육
　　　　　　　　　　❋ 예술적 소양을 함양하고 타 학문에 대한 이해가 깊은 미래형 인재 양성으로 교육

안쌤의
줄기과학 시리즈

새 교육과정
3~4학년
학기별
STEAM 과학

3-1 **8강** 3-2 **8강**   4-1 **8강** 4-2 **8강**

새 교육과정
5~6학년
학기별
STEAM 과학

5-1 **8강** 5-2 **8강**   6-1 **8강** 6-2 **8강**

새 교육과정
중등 영역별
STEAM 과학

물리학 24강   **화학 16강**   **생명과학 16강**   **지구과학 16강**   **물리학 워크북**   **화학 워크북**

안쌤이 추천하는
영재교육원 대비 5,6학년 로드맵

STEP

개념+창의력

안쌤의 최상위 줄기과학 초등 시리즈　학기별 8강, 총 32강

STEP

문제해결력

안쌤의 창의적 문제해결력 시리즈　수학 8강, 과학 8강

STEP

실전테스트

안쌤의 창의적 문제해결력 실전 시리즈　수학 50제, 과학 50제, 모의고사 4회

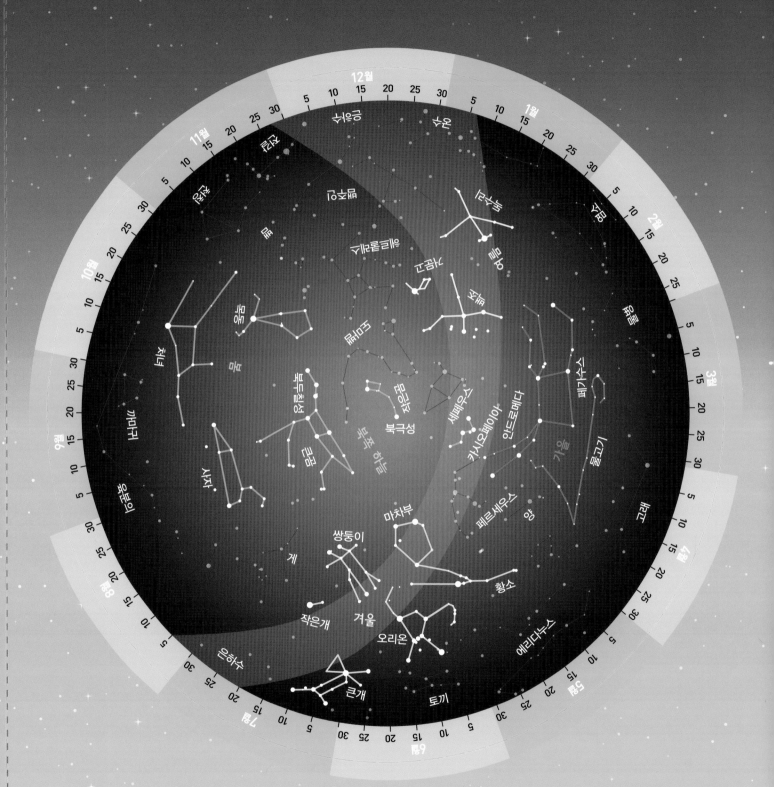

별자리판 3

안쌤의
최상위
줄기과학
초등 6·1

풀칠 면에 풀칠하여 별자리판 2와 종이봉투처럼 붙이세요.

안쌤의
창의적 문제해결력 시리즈

초등 1~2 학년

초등 3~4 학년

초등 5~6 학년

중등 1~2 학년

안쌤의
줄기과학 시리즈

새 교육과정
3~4학년
학기별
STEAM 과학

3-1 **8강** 3-2 **8강**   4-1 **8강** 4-2 **8강**

새 교육과정
5~6학년
학기별
STEAM 과학

5-1 **8강** 5-2 **8강**   6-1 **8강** 6-2 **8강**

새 교육과정
중등 영역별
STEAM 과학

물리학 **24강**   화학 **16강**   생명과학 **16강**   지구과학 **16강**   물리학 워크북   화학 워크북

새 교육과정 5~6학년 STEAM 과학

초등 **6·1**

안쌤의
최상위
줄기과학

인기 강사
강력 추천 **100**명

정답 및
해설

- 최상위권 학생을 위한
  심화 개념 구성

- 소단원별
  STEAM 융합사고력 키우기

- 단원별
  STEAM 탐구력 키우기

안쌤 영재교육연구소

상위 1%가 되는 길로 안내하는 이정표로,
학생들이 꿈을 이루어갈 수 있도록 콘텐츠 개발과 강의 연구를 하고 있다.

검수

강동규, 고선양, 윤신광, 윤영진, 이미라, 이지원, 전익찬, 정영숙, 정우철, 정혜란, 정회은, 최현규

인기 강사 100명 강력 추천

강도연, 강미라, 강옥주, 강은영, 강혜정, 고려욱, 곽미영, 김민정, 김보란, 김순정, 김연지, 김영준, 김은선, 김은희, 김정숙, 김정아, 김정애, 김종욱, 김주석, 김형진, 김효선, 노형섭, 문희정, 박노섭, 박선미, 박세언, 박애자, 박우용, 박윤하, 박정연, 박지은, 박진국, 박하나, 박헌진, 배정인, 배혜정, 백광열, 백지연, 변애나, 복주리, 서동진, 서유경, 서윤정, 소선영, 신규숙, 신상희, 신석화, 신현주, 안진희, 엄정연, 염경화, 오고운, 옥정화, 유나영, 유영란, 윤민혜, 윤소희, 윤순주, 이강윤, 이동림, 이미정, 이선영, 이연주, 이영주, 이영훈, 이윤정, 이은덕, 이지영, 이진경, 이혜림, 임선화, 장수진, 장윤희, 장치은, 전익찬, 전진홍, 정동훈, 정보혜, 정수일, 정영숙, 정재은, 정희현, 조영부, 조은실, 조정숙, 지다인, 차규상, 채진희, 최성덕, 최용덕, 최진영, 하영진, 한승철, 한정희, 한지연, 홍금자, 홍영주, 홍정연, 황병문, 황보혜정

정답 및 해설

정답 및 해설

Ⅰ 지구와 달의 운동

01 지구의 자전

개념 기르기   12~13쪽

01 ⑤   02 ⑤   03 ②   04 ⑤   05 ①
06 ②   07 ③, ④   08 ⑤   09 ②   10 ④
11 ②   12 ③

01 서쪽에서 동쪽(시계 반대 방향)으로 제자리에서 한 바퀴 돌면 전등은 동쪽에서 서쪽(시계 방향)으로 움직이는 것처럼 보인다.

02 지구의 자전이란 지구가 남극과 북극을 이은 가상의 축(자전축)을 중심으로 하루에 한 바퀴씩 회전하는 것이다.

03 지구는 지구의 남극과 북극을 이은 가상의 축을 중심으로 서쪽에서 동쪽으로 하루에 한 바퀴씩 자전한다.

04 태양은 동쪽 하늘에서 보이기 시작하여 남쪽 하늘을 지나 서쪽 하늘로 움직이는 것처럼 보인다.

05 보름달은 저녁 18시 무렵에 동쪽 하늘에서 보이기 시작하여 0시 무렵에 남쪽 하늘을 지나 새벽 6시 무렵에 서쪽 하늘로 움직인다.

06 지구가 자전하므로 5시간 후에 사자자리는 서쪽 하늘에서 볼 수 있다.

07 달의 모양이 달라지는 것은 달이 공전하기 때문이고, 우리나라에 사계절이 나타나는 것은 지구가 자전축이 기울어진 채 공전하기 때문이다. 달이 서쪽에서 동쪽으로 이동하는 것처럼 보이는 것은 달이 서쪽에서 동쪽으로 공전하기 때문이다.

08 실제로 달과 별이 움직이면서 위치가 달라지는 것이 아니라, 지구의 자전에 의해 달과 별이 하루 동안 움직이는 것처럼 보인다.

09 전등은 태양, 지구의는 지구, 인형은 지구에 살고 있는 사람을 나타낸다. 전등 빛을 받아 밝은 곳은 낮을 나타내며, 반대로 어두운 부분은 밤을 나타낸다.

10 자전축을 중심으로 지구의를 돌렸을 때 태양이 비추는 곳은 낮이 되고, 그렇지 않은 곳은 밤이 되므로 낮과 밤이 바뀐다.

11 자전축을 중심으로 지구의를 돌리는 것은 자전축을 중심으로 한 바퀴씩 회전하는 지구의 자전을 의미한다.

12 지구가 자전하면서 태양이 비추는 곳과 비추지 않는 곳이 생기기 때문에 낮과 밤이 반복된다.

서술형으로 다지기   14~15쪽

01 **모범답안** 지구가 서쪽에서 동쪽으로 자전하기 때문에 동쪽에서 해가 더 빨리 보이기 때문이다.
해설 우리나라 육지에서 가장 동쪽에 있는 곳은 포항 호미곶이다. 그러나 1월 1일 일출 시각은 울산 간절곶이 빠르다. 태양은 추분(9월 22일)에는 정동쪽에서 뜨지만 이후 동지(12월 22일)까지는 점차 남동쪽으로 이동했다가 이듬해 춘분(3월 22일)에 다시 정동쪽에서 떠오르기 때문이다. 새해 첫날 태양은 남동쪽에서 떠오르기 때문에 호미곶보다 남쪽에 있는 간절곶의 일출이 좀 더 빠르다. 새해 첫날 일출과 달리 연평균 일출은 포항 호미곶이 가장 빠르다.

02 **모범답안**
• 음력 15일에 뜨는 보름달은 초저녁부터 새벽까지 충분히 관찰할 수 있기 때문이다.
• 다른 날보다 달을 관측할 수 있는 시간이 길기 때문이다. 등
해설 음력 15일에는 보름달이 뜬다. 보름달은 초저녁 동쪽 지평선 부근에서 보이기 시작하여 자정(밤 12시)에는 남쪽 하늘에서 보이고, 새벽이 되면 서쪽 지평선 아래로 사라지기 때문에 하룻밤 동안 달의 위치 변화를 충분히 관찰할 수 있다.

03 **모범답안** 지구가 자전하기 때문에 낮과 밤이 생긴다.
해설 지구가 자전하여 우리나라가 태양 쪽을 향해 태양 빛을 받으면 낮이 되고, 태양 반대쪽을 향해 빛을 받지 못하면 밤이 된다.

04 모범답안

- 태양, 달, 별이 하루 동안 서쪽에서 뜨고 동쪽으로 질 것이다.
- 일출을 보기 위해서는 서쪽으로, 일몰을 보기 위해서는 동쪽으로 가야 할 것이다.
- 서쪽으로 갈수록 해 뜨는 시간이 빨라질 것이다.

해설 지구의 자전 방향이 바뀌면 대기 순환도 바뀐다. 우리나라는 편서풍의 영향을 받는데 지구의 자전 방향이 바뀌면 편동풍의 영향을 받게 되어 해양성 기후가 나타나고, 봄철 황사와 미세먼지는 서쪽으로 이동하므로 우리나라는 크게 영향을 받지 않을 것이다. 지구의 자전 방향이 바뀌면 해류 방향도 바뀐다. 지구의 자전 방향이 바뀌면 우리나라는 북쪽에서 내려오는 한류의 영향을 받게 되므로 지금보다 기온이 낮아지고 강수량도 적어질 뿐 아니라, 명태나 대구와 같은 한류성 어종이 많아져 음식 문화가 변할 수도 있을 것이다. 지구는 외핵의 회전으로 자기장이 생겨 북극은 S극이고 남극은 N극이다. 지구 자전 방향이 바뀌면 지구 자기장의 방향도 달라져 남극이 S극이 되고 북극이 N극이 된다.

융합사고력 키우기 16~17쪽

01 모범답안 23시간 59분 38초~24시간 00분 30초로, 평균 약 24시간이다.

해설 자전 주기는 하루의 길이와 같다.

02 모범답안 지구 및 대기와 함께 같은 방향과 속력으로 운동을 하고 있기 때문이다.

해설 시속 100 km로 달리는 차 안에서 시속 100 km로 달리고 있는 또 다른 차를 보면 정지한 것처럼 보이는 것과 같다. 두 물체의 속도가 같으면 상대 속도가 0이 되어 물체가 정지한 것처럼 느껴진다.

03 모범답안

- 낮과 밤이 사라질 것이다. 태양이 비추는 곳은 계속 낮이고, 태양이 비추지 않는 곳은 계속 밤이 될 것이다.
- 태양이 비추는 곳은 기온이 매우 높아질 것이고 태양이 비추지 않는 곳은 기온이 낮아져 극지방처럼 얼음으로 뒤덮일 것이다.
- 지구 자전에 의한 원심력으로 바닷물은 적도 주변에 모여 있다. 지구의 자전이 멈추면 적도 지방에 모여 있던 바닷

물이 남극과 북극 지방 쪽으로 몰려가게 되어, 고위도 지역의 해수면이 낮은 도시는 물에 잠기게 될 것이고 저위도 지방의 수심이 얕은 곳은 육지가 될 것이다. 사람들은 살기 좋은 땅으로 이동하게 될 것이다.

- 지구 대기는 지구의 자전과 함께 회전하고 있다. 지구의 자전이 멈추면 대기의 움직임이 느려지거나 바닷물을 따라 극지방으로 이동하게 되므로 홍수, 가뭄, 태풍 등의 기후 변화가 나타나고, 적도 지방은 공기의 양이 줄어들어 낮은 고도에서도 고산병이 나타날 것이다.
- 인공위성에 내장된 시간과 GPS에 오작동이 생겨 위성, 관제탑, 항공기의 항법장치에 오작동이 발생하여 비행기 운항에 문제가 생기게 될 것이다.
- 지각, 맨틀, 외핵, 내핵은 지구의 자전과 함께 회전하고 있다. 지구의 자전이 멈추면 상태와 성질이 다른 지각, 맨틀, 외핵, 내핵이 움직이는 속도가 달라져 엄청난 마찰이 생기고, 마찰로 인해 지진과 화산이 활발하게 일어날 것이다.
- 지구의 자전으로 인해 외핵(액체 상태)에서 자기장이 생성된다. 지구의 자전이 멈추면 지구 자기장이 약해져 태양풍의 영향을 그대로 받게 될 것이다.
- 지구와 달의 거리가 점점 멀어질 것이다. 현재 지구와 달 사이의 거리는 380,000 km이고, 지구의 자전 속도가 느려짐에 따라 1년에 4 cm씩 멀어지고 있다. 등

🌱 02 지구와 달의 공전

개념 기르기 22~23쪽

01 ② **02** ②, ④ **03** ③ **04** ① **05** ③
06 ④ **07** ② **08** ⑤ **09** ② **10** ②
11 ②

01 (가)에서는 칠판, (나)에서는 창문, (다)에서는 게시판, (라)에서는 출입문을 볼 수 있다.

02 우리나라가 태양 쪽을 향할 때는 낮이고, 태양 반대쪽을 향할 때는 한밤이다.

03 지구의 공전은 지구가 태양을 중심으로 일 년에 한 바퀴씩

서쪽에서 동쪽으로 회전하는 운동이다.

04 지구가 봄 위치에 있을 때 태양과 같은 방향에 있는 가을철 별자리(페가수스자리, 안드로메다자리, 물고기자리)는 태양 빛이 너무 밝아 볼 수 없다.

05 여름철에 볼 수 있는 대표적인 별자리는 백조자리, 거문고 자리, 독수리자리가 있다.

06 계절에 따라 보이는 별자리가 다른 이유는 지구가 공전하기 때문이고, 하루 동안 달과 별의 위치가 달라지는 까닭은 지구가 자전하기 때문이다.

07 ㉠ 하현달, ㉡ 그믐달, ㉢ 보름달, ㉣ 초승달, ㉤ 상현달이다.

08 보름달이 뜨는 음력 15일의 7일 전인 음력 8일에는 상현달이 뜬다.

09 태양이 진 직후, 초승달은 서쪽 하늘에서, 상현달은 남쪽 하늘에서, 보름달은 동쪽 하늘에서 볼 수 있다. 하현달은 자정(밤 12시)에 동쪽 하늘에서 뜨고, 그믐달은 아침 6시 무렵에 동쪽 하늘에서 뜨므로 태양이 진 직후에는 관찰할 수 없다.

10 ① 달이 조금씩 커진다.
③ 우리 눈에는 달의 오른쪽부터 점점 밝아진다.
④ 저녁 이후에 달을 가장 오래 동안 관찰할 수 있는 날은 음력 15일이다.
⑤ 달의 모양이 매일 조금씩 바뀌는 이유는 달이 지구 주위를 공전하기 때문이다.

11 지구가 자전하기 때문에 낮과 밤이 생기고, 하루 동안 태양, 달, 별의 위치가 달라진다.

서술형으로 다지기　　　24~25쪽

01 모범답안
• 계절이 변한다.
• 계절에 따라 보이는 별자리가 달라진다. 등

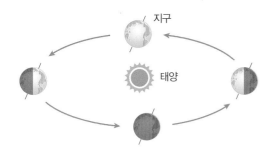

해설 태양은 움직이지 않고 지구가 태양 주위를 서쪽에서 동쪽으로 일 년에 한 바퀴씩 공전한다.

02 모범답안 ㉡, 달의 모양이 변하는 이유는 달이 지구 주위를 공전하기 때문이다.
해설 지구의 공전으로 인해 계절에 따라 보이는 별자리가 달라지고, 지구의 자전으로 인해 밤과 낮이 생기고, 태양, 달, 별의 위치가 달라진다. 달의 공전으로 인해 약 한 달을 주기로 달의 모양이 바뀐다.

03 모범답안 하루 동안 달이 지구 주위를 서쪽에서 동쪽으로 공전하기 때문에 다음 날 같은 위치에서 달을 보려면 달이 공전한만큼 지구가 더 자전해야 하므로 매일 달이 뜨는 시각이 늦어진다.
해설 하루가 지나면 지구는 한 바퀴 자전하여 제자리로 오지만 달은 약 13° 서쪽에서 동쪽으로 공전하므로 어제와 같은 자리에 있지 않다. 따라서 지구가 약 13°를 더 자전해야 달을 볼 수 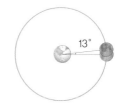 있다. 지구는 1시간에 약 15° 자전 하므로 13° 자전하기 위해서는 약 48분(50분)이 걸린다. 따라서 매일 달이 약 50분씩 늦게 뜬다.

04 모범답안
• 일 년의 반은 낮이고, 반은 밤이 될 것이다.
• 현재 별자리의 절반 정도만 볼 수 있을 것이다.
• 지구의 위치에 따라 달을 볼 수 있는 기간이 다를 것이다.
해설 지구가 하루에 한 바퀴씩 자전하기 때문에 하루에 낮과 밤이 반복된다. 만약 자전하지 않고 공전만 한다면 지구가 태양 주위를 반 바퀴 도는 동안 낮이 계속 이어지다가 태양 주위를 반 바퀴 돈 이후에는 태양 빛을 받지 않게 되므로 밤이 이어진다. 예를 들어 다음 그림과 같은 상태로 지구가 자전

하지 않고 공전만 한다면 우리나라의 경우 겨울에서 여름까지는 낮이 이어지고, 여름에서 겨울까지는 밤이 이어질 것이다. 또한, 밤에만 별을 볼 수 있으므로 여름에서 겨울까지만 별자리를 볼 수 있고, 여름철과 가을철 별자리 일부와 봄철 별자리는 볼 수 없을 것이다. 달이 지구 주위를 공전한다면 달이 태양 빛을 받는 동안만 볼 수 있으므로 지구의 위치에 따라 달을 볼 수 있는 기간이 다를 것이다.

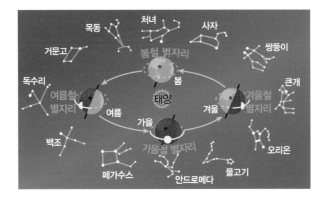

융합사고력 키우기   26~27쪽

01 **모범답안** 달의 자전 주기와 공전 주기가 같기 때문이다.

해설 달이 지구 주위를 도는 공전 주기는 27.3일(항성월)이고 달이 스스로 한 바퀴 도는 자전 주기도 27.3일이다. 달은 공전 주기와 자전 주기가 같으므로 지구에서 항상 같은 면만 보인다. 달의 뒷면을 보려면 우주선을 타고 달의 뒤쪽으로 날아가야 한다. 1959년 10월에 루나 3호가 최초로 달의 뒷면을 촬영했고, 2019년 1월 3일 중국의 달 탐사선 창어 4호가 최초로 달의 뒷면에 착륙했다.

02 **모범답안**

• 매일 뜨는 달의 모양이 달라진다.
• 밀물과 썰물의 높이차가 달라진다.
• 달이 태양을 가리는 일식 현상이 일어난다.
• 달이 지구 그림자 안으로 들어와 사라지는 월식이 일어난다.

해설 해수면이 높아져 해안의 바닷물이 육지 쪽으로 들어오는 것을 밀물, 반대로 해수면이 낮아져 바닷물이 바다 쪽으로 빠지는 것을 썰물이라고 한다. 음력 1일이나 15일에 밀물과 썰물의 높이차가 가장 크고 음력 7일이나 23일에 밀물과 썰물의 높이차가 가장 작다.

03 **모범답안** 지구에서 멀리 떨어져 있을 때는 너무 작아 관측할 수 없고, 지구에 접근했을 때는 너무 빠르고 잘 보이지 않기 때문이다.

해설 지구 중력에 붙잡힌 소행성들을 지구에서 관찰하는 것은 현재 기술로는 불가능하기 때문에 소행성이 그곳에 있는지 알 수 없다.

탐구력 키우기   28~29쪽

01 **모범답안** 실제로 별은 움직이지 않지만 지구의 자전 때문에 별자리가 서쪽으로 움직이는 것처럼 보인다.

해설 지구가 자전하므로 별이 한 시간에 15°씩 이동해서 하루에 한 번 원운동을 하는 것처럼 보인다. 지구가 서쪽에서 동쪽으로 자전하므로 우리가 볼 때 별은 동쪽에서 떠서 서쪽으로 지는 것처럼 보인다. 이것을 북극성을 중심으로 보면, 시계 반대 방향으로 움직이는 것처럼 보인다.

02 **모범답안**

1월 20일 21시	오리온자리, 쌍둥이자리, 마차부자리, 큰개자리, 작은개자리, 황소자리
4월 20일 21시	사자자리, 처녀자리, 목동자리
7월 20일 21시	백조자리, 독수리자리, 거문고자리, 전갈자리
10월 20일 21시	페가수스자리, 안드로메다자리, 물고기자리

03 **모범답안** 지구가 태양의 주위를 공전하면서 위치가 변하기 때문에 계절에 따라 보이는 별자리가 달라진다.

해설 봄에는 목동자리, 처녀자리, 사자자리를 볼 수 있고, 여름에는 거문고자리, 독수리자리, 백조자리를 볼 수 있다. 가을에는 페가수스자리, 안드로메다자리, 물고기자리를 볼 수 있고, 겨울에는 황소자리, 오리온자리, 작은개자리, 큰개자리, 쌍둥이자리를 볼 수 있다. 만약 지구가 공전하지 않는다면, 계절에 따라 볼 수 있는 별자리가 달라지지 않는다.

04 **모범답안** 생일날에는 태양이 생일 별자리 근처에 있기 때문에 볼 수 없다.

해설 생일 별자리는 황도 12궁이다. 황도는 지구에서 봤을 때 일 년 동안 태양이 지나가는 길이고, 황도 12궁은 태양이 지나가는 길에 있는 별자리이다. 내 생일날 생일 별자리는 태양과 겹쳐 있는 시기이므로 일 년 중 가장 보기 힘들다. 6개월이 지나 내 생일 별자리가 태양 반대편에 있을 때 가장 잘 보인다.

Ⅱ 여러 가지 기체

03 기체의 종류와 성질

개념 기르기   36~37쪽

01 ②, ④	02 ④	03 ⑤	04 ③	05 ④
06 ④	07 ②	08 ①, ③	09 ②	10 ⑤
11 ②, ⑤	12 ⑤			

01 삼각 플라스크 안에서 산소가 발생해서 기포가 생기고 따뜻해진다. 발생한 산소는 고무관을 통해 이동하여 집기병에 모인다. 따라서 수조 안의 물 높이는 높아지고, 집기병 안의 물 높이는 낮아진다.

02 산소는 일정한 공간을 차지한다. 산소가 집기병으로 들어오면 물을 밀어내므로 집기병 속의 물은 점점 내려간다.

03 이산화 망가니즈는 과산화 수소가 빠르게 물과 산소로 분해되도록 하는 촉매이다.

04 산소에서는 향불이 더 밝게 타고 불꽃이 일어난다.

05 소화기를 만들 때 이용하고 석회수를 뿌옇게 흐리게 하는 것은 이산화 탄소의 성질이다.

06 산소는 무색, 무취의 기체이며 물에 잘 녹지 않고 다른 물질을 잘 타게 도와준다.

07 산소는 호흡할 때 이용되고, 다른 물질이 잘 타게 도와주므로 용접할 때나 로켓의 연료를 연소하여 추진력을 얻을 때 이용한다.

08 이산화 탄소는 물에 잘 녹지 않기 때문에 물속에서 모은다. 이산화 탄소를 물속에서 모으면 공기와 섞이지 않게 모을 수 있고 집기병에 모인 기체의 양을 확인할 수 있다.

09 향불은 이산화 탄소에서는 꺼지고, 산소에서는 더 밝게 탄다.

10 연료를 태워 추진력을 얻을 때 이용하는 것은 산소이다.

11 응급 환자의 산소 호흡 장치, 금속 용접, 로켓 연료 연소에는 산소가 이용된다.

12 과산화 수소와 이산화 망가니즈가 반응하면 산소가 발생하고 나머지는 모두 이산화 탄소가 발생한다.

서술형으로 다지기

38~39쪽

01 모범답안
- 산소는 물에 잘 녹지 않기 때문이다.
- 산소가 얼마나 모였는지 확인할 수 있기 때문이다.
- 다른 공기와 섞이지 않게 모을 수 있기 때문이다.
- 물에 의해 불순물을 제거할 수 있기 때문이다.

해설 (가)는 하방 치환으로 공기보다 무거운 기체를 모을 때 사용한다. (나)는 상방 치환으로 공기보다 가벼운 기체를 모을 때 사용한다. (다)는 수상 치환으로 물에 잘 녹지 않는 기체를 모을 때 사용한다. 수상 치환은 물에 의해 불순물을 제거할 수 있고, 모인 기체의 양을 확인할 수 있는 장점이 있다.

02 모범답안 고구마는 산소계 표백제에서 산소가 발생하도록 도와주고, 이때 열이 발생한다.

해설 산소계 표백제(과탄산 나트륨)에는 과산화 수소 성분이 있어 촉매와 반응하면 산소가 발생하며 열이 난다. 고구마의 효소는 촉매(스스로는 변하지 않고 다른 물질이 변화하는 것을 도움)로 이용된다. 고구마 외에 감자, 무 등의 채소도 촉매로 작용한다.

03 모범답안
- 불이 잘 꺼지지 않을 것이다.
- 금속이 빨리 녹슬 것이다.
- 음식이 빨리 상할 것이다.
- 많은 생물이 고산 지대에서도 살 수 있을 것이다.
- 과격한 운동을 해도 숨이 차지 않고 각종 경기 기록이 향상될 것이다.
- 자동차의 연비가 더 좋아질 것이다.
- 새들이 지금보다 더 높은 곳에서도 자유롭게 날 수 있을 것이다.
- 산소로 호흡하는 생물의 몸체가 커질 것이다.

해설 오늘날 대기 중의 산소 농도는 약 21 %이지만 과거 고

생대 시대에는 약 35 % 정도였고, 중생대 쥐라기 시대에는 지금보다 훨씬 낮았다. 고생대에는 이산화 탄소로 광합성을 하는 시아노박테리아의 엄청난 번식으로 매우 많은 산소가 만들어졌다. 산소 농도가 높으면 생물의 대사가 활발해지고 에너지를 많이 생산할 수 있게 되므로 세포 수가 급격히 증가하여 거대 생명체가 나타난다. 과거 고생대와 중생대 시대에는 거대 곤충과 거대 공룡들이 많았다. 그러나 시간이 지날수록 거대 생물체가 산소를 많이 사용함으로써 산소 농도가 낮아졌고, 빙하기나 갑작스러운 환경 변화에 적응하지 못한 거대 생명체의 대부분은 멸종했다.

04 모범답안 드라이아이스에서 발생한 이산화 탄소는 공기보다 무거워 아래쪽으로 이동하고, 물질이 타는 것을 막기 때문에 키가 작은 초부터 순서대로 꺼진다.

해설 공기와 같은 기체도 무게를 가지고 있고, 기체의 종류에 따라 무게가 다르다. 이산화 탄소는 공기보다 1.5배 정도 무거워서 공기 중에서 아래로 내려간다.

융합사고력 키우기

40~41쪽

01 모범답안 온실 기체

해설 지구 대기 속에 존재하는 기체 중 지표에서 방출되는 복사 에너지를 일부 흡수하여 온실 효과를 일으키는 기체이다. 대표적으로 수증기, 이산화 탄소, 메테인 등이 있다. 온실 효과 덕분에 지구의 평균 기온은 15 ℃ 정도로 일정하게 유지된다. 만약 온실 효과가 일어나지 않는다면 지구의 평균 기온은 -20 ℃ 정도로 낮아져서 생명체가 살 수 없을 것이다. 온실 기체는 지구가 사람이 살기에 알맞은 기온을 유지할 수 있도록 도와주는 꼭 필요한 기체이다. 그러나 대기 중에 온실 기체의 양이 너무 많아지면서 지구의 평균 기온이 점점 상승하는 지구 온난화 현상이 나타난다.

02 모범답안 온실 효과 기여도는 낮지만 다른 기체에 비해 방출량이 많기 때문이다.

해설 1 ppm의 농도에서 온실 효과에 미치는 영향이 가장 큰 온실 기체는 프레온 가스이다. 그러나 지구 온난화의 주원인은 대기 중 농도가 가장 큰 이산화 탄소이다. 이산화 탄소는 화석 연료를 사용할 때 발생한다. 1760년대 이후 석탄이나 석유 같은 화석 연료를 사용하면서 대기 중의 이산화 탄소의

농도가 급격하게 많아져 전체 온실 기체의 77 %를 차지하고 있어 온실 기체 배출 규제의 핵심이다. 우리나라의 이산화 탄소 배출량은 세계에서 7번째이다. 우리나라에서 이산화 탄소의 배출량이 많은 이유는 전체 에너지 공급량 중에서 석유가 37.1 %, 석탄이 29.9 %로 많은 비중을 차지하고 있기 때문이다. 이산화 탄소 배출량을 줄이기 위해서는 신재생 에너지의 사용 비율을 늘려야 한다.

03 모범답안

- 대중교통을 이용한다.
- 일회용품 사용을 줄인다.
- 자원을 재활용하는 습관을 기른다.
- 집의 냉방과 난방 온도를 적절하게 조절한다.
- 에너지 효율이 높은 제품을 사용한다.
- 사용하지 않는 플러그는 뽑아둔다.
- 나무를 심고 잘 보호한다.
- 환경보전의 중요성을 다른 친구나 가족에게 알려 함께 참여하게 한다.

해설 지구의 온난화를 방지하기 위해 우리가 할 수 있는 가장 손쉽고 확실한 방법은 에너지를 절약하고 물자를 아껴 쓰는 것이다. 탄소 발자국은 개인 또는 단체가 직접 간접적으로 발생시키는 온실 기체의 총량을 의미하며, 일상생활에서 사용하는 연료, 전기, 용품 등이 모두 포함된다. 제품 및 서비스의 원료 채취, 생산, 수송 및 유통, 사용, 폐기 등 전 과정에서 발생하는 온실 기체 발생량을 이산화 탄소 배출량으로 환산하여 제품에 표시한다. 지구 온난화를 늦추기 위해서는 탄소 발자국이 낮은 제품을 사용해야 한다.

🌱 04 기체의 부피 변화

개념기르기   46~47쪽

| 01 ④ | 02 ② | 03 ①, ② | 04 ④ | 05 ② |
| 06 ③ | 07 ⑤ | 08 ② | 09 ② | 10 ② |

01 공기에 가한 힘이 없어지면 공기의 부피가 원래대로 커지므로, 피스톤이 뒤로 밀려 나온다.

02 공기에 가한 힘이 없어지면 공기의 부피가 원래대로 커지므로, 피스톤이 뒤로 나온다.

03 ①, ②는 압력 변화에 따른 기체의 부피 변화의 예이고, ③, ④, ⑤는 온도 변화에 따른 기체의 부피 변화의 예이다.

04 진공 장치 속 공기가 빠져나가므로 공기의 누르는 힘이 약해져 과자 봉지의 부피가 커진다.

05 여름에 빈 페트병을 마개로 닫은 후 냉장고에 넣어두면 온도가 낮아져 페트병이 찌그러진다.

06 기체에 압력을 가하면 부피가 많이 줄어들지만, 액체는 거의 줄어들지 않는다. 기체가 많을수록 피스톤이 더 많이 밀려 들어간다.

07 기체는 온도가 높아지면 부피가 늘어나고 온도가 낮아지면 부피가 줄어든다. 물방울이 든 일회용 스포이트를 따뜻한 물에 넣으면 기체의 부피가 늘어나 물방울이 위로 올라가고, 차가운 물에 넣으면 기체의 부피가 줄어들어 물방울이 아래로 내려간다.

08 풍선을 가지고 지리산 정상에 올라가면 압력이 낮아져 풍선이 커진다.

09 수소는 자동차 연료나 연료 전지로 이용된다. 소화기 재료로 사용하는 것은 이산화 탄소이다.

10 산소와 음식물이 닿으면 산화 반응이 일어나 음식이 빨리 변질된다. 또한 과자에 산소가 닿으면 벌레, 곰팡이 등의 미생물이 번식할 수 있어 좋지 않다. 질소는 과자를 보호하고 색깔이 변하지 않게 해준다.

서술형으로 다지기   48~49쪽

01 모범답안 무총에 물을 넣고 피스톤에 힘을 가하면 물은 압축되지 않으므로 피스톤에 가한 힘에 의해 밀려 무총알이 약하게 발사된다. 그러나 공기를 넣고 피스톤에 힘을 가하면 공기의 부피가 줄어들고 압축되면서 증가한 기체의 압력에 의해 무

총알이 더 멀리 발사된다.

해설 기체는 액체보다 입자 사이의 거리가 멀기 때문에 힘을 가하면 입자 사이의 거리가 많이 줄어들어 압축된다.

02 **모범답안** 위로 올라갈수록 압력이 낮아지므로 풍선이 커진다.

해설 헬륨은 공기보다 가벼우므로 헬륨 가스를 넣은 풍선은 위로 올라간다. 높이 올라갈수록 대기압이 낮아지므로 풍선은 커지다가 결국 터진다.

03 **모범답안**
• 페트병 안에 있는 공기를 빼내어 압력을 낮춘다.
• 페트병 안에 있는 공기의 온도를 낮춘다.
• 페트병을 밀폐된 용기에 넣고 밀폐 용기 안에 공기를 넣어 압력을 높인다.
• 페트병 아래를 자르고 큰 풍선을 씌운 후 큰 풍선을 아래로 잡아당긴다.

해설
• 페트병 안에 있는 공기의 양을 줄이면 페트병 내부 압력이 낮아지므로 안쪽 윗부분에 끼워진 풍선이 커진다.
• 페트병의 온도를 낮추면 페트병 안에 있는 공기의 부피가 줄어들므로 안쪽 윗부분에 끼워진 풍선이 커진다.
• 페트병을 밀폐된 용기에 넣고 밀폐 용기 안에 공기를 넣으면 페트병 외부 압력이 높아지므로 페트병 안쪽 윗부분에 끼워진 풍선이 커진다.
• 페트병 아래를 자르고 큰 풍선을 씌운 후 아래로 잡아당기면 페트병 안의 압력이 낮아지므로 안쪽 윗부분에 끼워진 풍선이 커진다.

04 **모범답안**
• 뜨거운 물의 온도를 높게 하고 오줌싸개 인형 속의 공기가 모두 빠져나가도록 충분히 기다린다.
• 차가운 물 대신 얼음물을 사용하고 오줌싸개 인형 안으로 물이 많이 들어오도록 충분히 기다린다.
• 머리에 붓는 뜨거운 물의 온도를 높게 하여 오줌싸개 인형 안의 공기의 부피를 많이 늘린다.

해설 오줌싸개 인형을 뜨거운 물에 넣으면 인형 내부 공기의 부피가 늘어나 안에 있던 공기가 빠져나간다. 뜨거운 물에서 꺼낸 후 차가운 물에 넣으면 인형 내부 공기의 부피가 줄어들므로 인형 안으로 물이 들어간다. 차가운 물에서 꺼낸 후 머리에 뜨거운 물을 부으면 인형 내부 공기의 부피가 늘어나

물을 밀어내므로 인형에서 물줄기가 나온다.

융합사고력 키우기   50~51쪽

01 **모범답안** 밸브를 누르면 튜브 입구가 열려 고압으로 압축된 액체가 분사된다.

해설 스프레이 내부는 기체가 된 가압제에 의해 고압 상태이다.

02 **모범답안** 피스톤 장치를 앞뒤로 움직이면 물통 안에 공기가 들어가 압축되고, 방아쇠를 당기면 압축된 공기에 의해 열린 입구로 물이 분사된다.

해설 물총에서 피스톤은 물통 안의 공기를 압축시켜 압력을 높인다. 물통으로 공기가 주입되는 곳은 타이어나 축구공 입구처럼 바람이 들어갈 수는 있지만 나올 수는 없다. 따라서 피스톤 장치를 앞뒤로 여러 번 움직이면 물통으로 공기가 들어가 물통 안의 압력이 높아지게 되고, 방아쇠를 당기면 공기의 압력에 의해 열린 입구로 물이 나간다. 따라서 피스톤을 여러 번 움직여 공기를 많이 압축시킬수록 물이 오래 분사된다.

03 **모범답안** 가열된 캔을 입구가 찬물에 잠기도록 넣으면 가열되어 팽창된 캔 속의 공기가 찬물에 의해 수축하여 기체의 압력이 낮아지고, 상대적으로 큰 외부의 대기압에 의해 캔이 찌그러진다.

해설 빈 캔을 더 빠르게 많이 찌그러뜨리려면 빈 캔에 물을 조금 넣고 실험하면 된다. 빈 캔에 물을 넣고 가열하면 물이 끓어 수증기가 나올 때 캔 내부에 있던 공기도 함께 나온다. 충분히 가열한 후 집게로 가열된 캔의 입구가 찬물에 잠기도록 넣으면 캔 내부의 온도가 급격히 낮아지고, 미처 빠져나오지 못한 수증기가 물로 변하고 캔 내부의 공기는 차가운 온도에 의해 수축된다. 캔 내부의 기체의 압력이 급격하게 낮아지면 외부의 대기압에 의해 캔이 더 빠르게 많이 찌그러진다.

탐구력 키우기

01 모범답안

▲ 세게 눌렀을 때   ▲ 손을 놓았을 때

해설 페트병을 세게 누르면 압력이 증가하여 빨대 안의 기체의 부피가 감소하므로, 물이 들어와 물 높이가 증가한다. 페트병을 눌렀던 손을 놓으면 압력이 감소하여 기체의 부피가 증가하므로, 물이 밖으로 빠져나가서 물 높이가 원래 높이로 줄어든다.

02 모범답안

(1) 아래로 내려가는 원리 : 페트병을 세게 누르면 빨대 안으로 물이 들어오므로 빨대 잠수함이 무거워져서 아래로 내려간다.

(2) 위로 올라오는 원리 : 페트병을 눌렀던 손을 놓으면 빨대 밖으로 물이 빠져나가므로 빨대 잠수함이 가벼워져서 위로 올라온다.

해설 페트병을 세게 눌러 공기를 많이 압축시켜 물이 빨대 안으로 많이 들어올수록 빨대 잠수함이 더 무거워지므로, 빨대 잠수함이 빠르게 내려간다. 만약 빨대 잠수함의 처음 위치가 물 밖으로 많이 나와 있다면, 빨대 안으로 물이 들어가도 빨대 잠수함이 물에 가라앉을 정도로 무거워지지 않기 때문에 잘 가라앉지 않는다.

03 모범답안

잠수함 탱크에 바닷물을 넣으면 잠수함이 무거워져 아래로 내려간다. 압축 공기를 불어 넣어 탱크의 물을 밖으로 빼내면 잠수함이 가벼워져 위로 떠오른다.

04 모범답안 수면 위로 올라오면 압력이 낮아져서 부레 속에 들어 있던 공기의 부피가 늘어나기 때문이다.

해설 물속으로 깊이 들어가면 수압이 증가한다. 지표면의 기압은 평균 1기압이고, 물속에서 10 m 깊어질 때마다 1기압씩 증가한다.

Ⅲ 식물의 구조와 기능

🌱 05 세포, 뿌리와 줄기

개념 기르기   60~61쪽

01 ②   **02** ③, ④   **03** ⑤   **04** ⑤   **05** ④

06 ①   **07** ②, ③   **08** ④   **09** ③   **10** ⑤

11 ④   **12** ①

---

01 벽돌처럼 생긴 방 하나하나를 세포라고 한다.

02 세포의 모양과 크기는 생물의 종류에 따라 다르고, 개구리 알, 달걀 등과 같이 맨눈으로 볼 수 있는 큰 세포도 있다.

03 A는 핵, B는 세포막, C는 세포벽이다. 세포벽은 식물 세포에만 있다.

04 뿌리는 물을 흡수하고, 줄기는 물과 양분이 이동하는 통로이고, 잎은 양분을 만든다. 열매 안에 씨앗이 들어 있다.

05 양파의 뿌리가 물을 흡수하므로 뿌리가 있는 양파가 든 비커의 물이 더 많이 줄어든다. 양파로 비커 입구를 막았기 때문에 물 표면에서 증발은 일어나지 않는다.

06 뿌리를 자른 양파가 든 비커의 물은 조금 줄어들고, 뿌리가 있는 양파가 든 비커의 물은 많이 줄어든다. 이를 통해 뿌리는 물을 흡수한다는 것을 알 수 있다.

07 씨앗을 만드는 것은 꽃이고, 양분을 만드는 것은 잎의 기능이다.

08 뿌리의 형태는 식물마다 다르다. 양파나 파는 여러 가닥의 뿌리가 사방으로 퍼져 있고, 당근이나 무는 큰 뿌리가 있고 곁에 작고 가는 뿌리들이 있다.

09 붉은색으로 물든 부분은 붉은색 색소물이 이동한 물관으로, 줄기의 물관은 여러 개이며 사방으로 흩어져 있다. 백합 줄기를 파란색 색소를 탄 물에 담가 두면 파란색으로 물든 부분을 확인할 수 있다.

10 식물의 물관은 여러 개이고 사방으로 흩어져 있으며, 뿌리에서 흡수한 물은 물관을 통해 잎까지 올라간다.

11 붉게 물들 것으로 예상되는 부분은 물관이다. 따라서 뿌리에서 흡수된 물의 이동 통로를 확인하기 위한 실험이다.

12 식물의 줄기는 뿌리와 잎을 연결하여 물과 양분이 이동하는 통로이고, 식물체를 지지한다.

서술형으로 다지기   62~63쪽

01 **모범답안**
(1) 땅속에 있는 뿌리가 더 크고 깊게 뻗은 것 : 느티나무
(2) 이유 : 식물의 크기가 클수록 식물체를 지지하기 위해 뿌리가 크고, 땅속에 더 깊이 뿌리를 내리기 때문이다.
해설 뿌리는 식물체를 지지하는데, 식물이 클수록 땅속 깊이 뿌리를 뻗으므로 뿌리째 뽑기 어렵다.

02 **모범답안** 뿌리 속의 농도가 땅속보다 높으므로, 삼투에 의해 땅속의 물이 뿌리로 흡수된다.
해설 땅속의 물이 뿌리로 흡수될 때 물에 녹아 있는 여러 가지 무기 양분도 함께 흡수된다. 흡수된 물은 차츰 농도가 더 높은 뿌리 안쪽으로 이동하고, 물관을 통해 줄기를 거쳐 잎까지 이동한다. 식물에 비료를 줄 때 비료의 농도가 너무 높으면 뿌리 속의 농도보다 땅속의 농도가 높아져 오히려 삼투에 의해 식물체에서 물이 빠져나와 시들어 죽는다. 따라서 식물에 비료를 줄 때 식물마다 적절한 농도로 맞추어 주어야 한다.

03 **모범답안**

구분	가로 단면	세로 단면
모습		
알 수 있는 점	• 식물의 줄기 속에는 물이 지나가는 물관이 있다. • 식물의 물관은 여러 개이며 연결되어 있다. 등	

해설 식물의 물관은 여러 개이며 사방으로 흩어져 있고, 뿌리에서 흡수된 물은 줄기 속 물관을 통해 잎까지 올라간다.

04 [모범답안] 환상박피 후 잎이 시들지 않았으므로 물관은 줄기 안쪽에 있고, 아랫부분은 성장이 멈추고 윗부분에 있는 과일이 크게 열렸으므로 체관은 줄기 바깥쪽에 있다.

[해설] 환상박피는 식물 줄기에 있는 껍질을 체관이 있는 깊이까지 고리 모양으로 벗겨내는 것이다. 체관을 벗겨내고 물관만 남기면 물은 뿌리에서 위로 올라갈 수 있으므로 잎이 시들지 않는다. 또한, 잎이 많은 식물체 윗부분에서 만들어진 양분은 아래로 이동할 수 없으므로 아랫부분은 성장이 멈춘다. 양분이 환상박피한 부분보다 위쪽에 축적되므로 과일이 커지고 수확 시기가 빨라지며, 양분이 환상박피한 부분 위쪽에 쌓여 두껍게 부풀어 오르기도 한다. 환상박피를 하면 과일이 전체적으로 굵어지지만 내년에 나무의 힘이 많이 약해진다. 힘이 좋지 않은 나무에 박피를 하면 나무가 죽을 수도 있다.

부분을 땅 위로 뻗어 공기 중에서 호흡할 것이다.

• 지구 온난화가 진행되면 해수면이 높아지므로 해안 가까이에 살던 식물들은 민물 대신 바닷물을 이용할 수 있을 것이고, 식물체 내의 염분을 내보내는 기관이 발달할 것이다.

• 지구 온난화는 대기 중 높은 농도로 존재하는 이산화 탄소에 의해 나타난다. 식물은 곤충이 뿜어내는 이산화 탄소를 감지하고 곤충을 퇴치하려고 반응한다. 대기 중 이산화 탄소의 농도가 높아지면, 식물은 곤충이 많다고 생각하고 곤충으로 인한 피해를 줄이기 위해 곤충이 싫어하는 화학 물질을 많이 방출하고 줄기를 두껍게 만들 것이다.

[해설] 식물은 생명력이 매우 강하다. 만약 환경이 변한다면 그 환경에 맞게 식물체 일부를 변화시킨다. 소나무는 땅속이 너무 습해 공기가 부족하면, 낙우송의 뿌리와 형태는 다르지만 뿌리의 일부분을 땅 위로 돌출시켜 호흡한다. 만약 소나무에서 땅 위로 돌출된 뿌리를 보게 된다면 땅속에 문제가 생긴 것이므로 기근 위로 흙을 덮어주면 안 된다. 뿌리 호흡이 더욱 어려워질 수 있기 때문이다.

▲ 소나무 호흡뿌리

01 [모범답안] 무릎뿌리, 호흡뿌리, 기근

[해설] 호흡뿌리에는 공기 구멍이 있고, 구멍을 통해 산소를 흡수한다.

02 [모범답안] 낙우송은 물가나 배수가 불량한 곳에 살기 때문에 호흡이 원활하지 않아서 뿌리를 땅 위로 뻗어 공기 중에서 호흡한다.

[해설] 뿌리는 흙 속에 있는 산소를 흡수하고 이산화 탄소를 배출한다.

03 [예시답안]

• 지구 온난화가 진행되면 지구의 평균 온도가 높아져 증발량이 증가하므로 비가 더 많이 내려 땅이 습해질 것이다. 땅속이 너무 습하여 공기가 부족해지면 식물은 뿌리의 일

06 잎, 꽃과 열매

01 ④	02 ①	03 ①	04 ②	05 ②
06 ②	07 ⑤	08 ⑤	09 ④	10 ④
11 ④	12 ⑤			

01 어둠상자를 씌운 잎과 씌우지 않은 잎을 알코올 중탕하여 아이오딘-아이오딘화 칼륨 용액을 떨어뜨리면 빛을 받은 잎은 녹말이 만들어져 청람색으로 바뀌지만, 빛을 받지 못한 잎은 녹말이 만들어지지 않으므로 색 변화가 나타나지 않는다.

02 광합성은 초록색 색소인 엽록소를 가지고 있는 엽록체에서 일어난다. 주로 잎에서 일어나지만, 초록색 줄기에서도 일어난다.

03 잎의 유무에 따라 증산 작용에 의해 생긴 비닐봉지에 맺힌

물의 양을 확인하는 실험으로, 잎의 유무를 제외한 다른 조건은 모두 같게 해야 한다.

04 증산 작용은 햇빛이 강하고 바람이 불며, 온도가 높고 건조할수록 잘 일어난다.

05 증산 작용은 잎이 많을수록, 햇빛이 강할수록, 온도가 높을수록, 바람이 불수록, 건조할수록 활발하게 일어나므로 물관을 더 빠르고 선명하게 붉은색으로 물들일 수 있다.

06 일반적으로 암술은 꽃의 가장 안쪽에 있고 수술은 암술을 둘러싸고 있다.

07 꽃가루받이 후 꽃이 지고 그 자리에 열매와 씨가 생긴다.

08 꽃이 피고 난 후 꽃가루받이가 되면 암술 속에서 씨가 생겨 자란다. 씨가 자라는 동안 씨를 싸고 있는 암술이나 꽃받침 등이 함께 자라 열매가 된다.

09 민들레씨는 바람에 날려서, 사과는 동물에게 먹혀서, 우엉씨는 동물의 몸에 붙어서, 연꽃씨는 물에 떠서 퍼진다. 나팔꽃씨, 봉선화씨, 괭이밥꽃씨는 꼬투리가 터져서 씨가 퍼진다.

10 꽃은 번식을 위해 씨를 만든다.

11 식물이 빛을 받지 못하면 광합성으로 양분을 만들지 못하므로 잎에 아이오딘-아이오딘화 칼륨 용액을 뿌려도 변화가 없다. 식물이 광합성을 하지 못하면 자라기 힘들다.

12 화창한 날, 사과나무의 뿌리는 많은 양의 물을 흡수한다. 흡수된 물은 줄기의 물관을 통하여 식물체의 필요한 곳으로 이동하고 잎에 도달한 물은 잎의 기공을 통하여 많은 양이 밖으로 빠져 나간다.

서술형으로 다지기

72~73쪽

01 **모범답안**
(1) (가)
(2) (가)는 빛을 충분히 받아 양분을 많이 만들 수 있지만,

(나)는 빛을 받지 못하기 때문에 양분을 만들지 못한다.
해설 (가)는 햇빛을 받고 (나)는 햇빛을 받지 못하였으므로 (가)만 광합성을 할 수 있다.

02 **모범답안** 뿌리에서 흡수한 물은 수증기가 되어 식물의 잎을 통해 빠져나가며, 잎의 수가 많을수록 증산 작용이 활발하게 일어나기 때문이다.
해설 뿌리에서 흡수한 물이 잎의 기공을 통해 빠져나가는 현상을 증산 작용이라고 한다.

03 **모범답안**

구분	단풍나무씨	민들레씨
모습		
특징	씨가 날개 모양이다.	씨에 많은 털이 붙어있다.
공통점	씨의 생김새가 바람에 날리기 좋은 모양이므로 바람에 날려서 씨가 멀리 퍼질 수 있다.	

해설 단풍나무씨와 민들레씨는 바람에 날려서 씨가 퍼진다.

04 **모범답안** 곤충에 의해 꽃가루받이가 되는 장미꽃은 향이 진하고 화려해야 곤충의 눈에 띄기 쉽다. 바람에 날려서 꽃가루받이가 되는 벼꽃은 크고 화려한 꽃을 피울 필요가 없고, 꽃가루가 가벼워야 바람에 잘 날릴 수 있다.
해설 사과나 장미 등은 곤충에 의해 꽃가루받이가 일어난다. 이러한 꽃은 곤충에게 꿀과 안식처를 제공하고, 곤충은 꽃의 꽃가루를 암술로 옮겨준다. 소나무, 은행나무, 벼, 억새는 바람에 날려서 꽃가루받이가 이루어진다. 이러한 식물의 꽃은 대부분 꿀이나 향기가 없고, 수꽃의 수술과 암꽃의 암술은 바람을 잘 받을 수 있도록 밖으로 튀어 나와 있으며, 바람에 날려오는 꽃가루가 달라붙기 쉽도록 암술머리는 솔이나 깃털과 같은 모양을 하고 있다. 식물이 꽃을 피울 때 많은 에너지를 소비하기 때문에 번식에 유리한 쪽을 선택한다. 대나무는 죽을 때 딱 한 번 번식을 위해 모든 에너지를 모아 꽃을 피운다.

정답 및 해설

01 모범답안 식물을 키울 공간이 부족할 때

해설 나레스트는 화분을 수직으로 층층이 쌓아 올린 구조로 공간을 아낄 수 있고, 물통에 물을 채우면 모든 식물에 물이 공급되는 장점이 있다.

02 모범답안 이산화 탄소의 양이 많다는 것은 식물이 호흡을 많이 하고 광합성이 잘 일어나지 않고 있다는 것이므로 광합성을 촉진하기 위해 적색등을 켜주어야 한다.

해설 식물의 대표적인 물질대사 작용으로는 광합성과 호흡이 있다. 광합성은 물, 이산화 탄소, 빛을 이용해 양분(녹말)과 산소를 생성하는 과정이고, 호흡은 양분과 산소를 이용해 생활에 필요한 에너지를 얻는 과정이다.

03 모범답안 화분 아래 물통에 물을 가득 채워 놓으면 물통의 물이 심지를 통해 화분 속 흙으로 올라가서 흙이 마르지 않게 한다.

해설 부직포, 수건, 붕대, 솜 등 물을 잘 흡수하는 재료로 길게 심지를 만든 다음, 한쪽 끝은 화분 속에 잘 고정하고 다른 한쪽 끝은 물이 담긴 통에 늘어뜨린다. 그러면 모세관 현상에 의해 물이 심지 속의 가느다란 관(좁은 틈)을 따라 올라가기 때문에 화분 아래 물통에 물을 한 번만 가득 채워 놓으면 며칠 동안 흙이 마르지 않도록 물을 공급할 수 있다.

01 모범답안 직사광선이 비추지 않는 밝은 곳에 두어야 식물이 광합성을 하여 양분을 만들 수 있다.

해설 테라리엄은 용기 입구가 아주 좁거나 아예 밀폐된 곳에 식물을 넣어두고 식물 스스로 광합성과 호흡을 하며 생활을 해나갈 수 있는 형태로 키우는 방법이다. 테라리엄을 직사광선이 닿는 곳에 두면 용기 내부의 온도가 올라가 식물이 말라죽고, 어두운 곳에 두면 광합성 부족으로 잎이 노랗게 변하면서 결국 죽는다. 자갈은 물 빠짐을 좋게 하고 물을 저장하는 역할을 하고, 이끼는 흙의 수분 증발을 막는다.

02 모범답안 식물의 뿌리가 흡수한 물은 증산 작용에 의해 다시 공기 중으로 배출되고, 흙에서 증발한 물 역시 공기 중으로 배출된다. 공기 중 수증기는 물방울이 되어 유리병에 맺혀

있다가 다시 흙 속으로 돌아간다.

해설 밀폐된 곳에서는 물을 주지 않아도 물이 순환하므로 식물이 살아갈 수 있다. 공기 중 수증기량이 일정한 양을 넘어서면(포화 상태) 물방울로 액화된다. 테라리엄 용기 속은 습도가 높기 때문에 습도가 높은 환경에서 살아가는 식물(양치류의 아스프레니움, 네프롤레피스, 프테리스, 아디안툼, 베고니아 등) 생명력이 강한 야생화를 키우는 것이 좋다. 빛이나 바람을 좋아하는 일반 식물은 적합하지 않다.

03 모범답안 식물이 호흡을 통해 방출한 이산화 탄소로 광합성을 하고, 광합성으로 만들어진 산소로 호흡한다.

해설 식물도 동물처럼 산소를 마시고 이산화 탄소를 내보내는 호흡을 한다. 테라리엄 속 식물은 햇빛이 있는 낮에는 호흡을 통해 방출한 이산화 탄소를 이용하여 광합성을 하고, 광합성을 통해 만들어진 산소를 다시 호흡에 이용한다.

- 광합성 : 물+이산화 탄소+빛 → 양분+산소, 빛이 있을 때만 일어난다. 광합성으로 만들어진 물과 산소는 공기 중으로 방출된다. 이후 물은 흙 속으로 돌아가고, 산소는 호흡에 쓰인다.
- 호흡 : 양분+산소 → 물+이산화 탄소+에너지, 빛의 유무와 관계없이 항상 일어난다. 호흡으로 생성된 이산화 탄소는 공기 중으로 방출되어 광합성에 쓰이고, 물은 흙 속으로 돌아간다.

04 예시답안
- 화분에 배수구가 없으므로 가전제품이나 고급 가구 위에서도 식물을 키울 수 있다.
- 한곳에 모아 기르며 감상할 수 있고, 인테리어 효과가 크다.
- 식물을 병충해로부터 보호할 수 있다.
- 먼지, 담배 연기, 가스 등의 공해로부터 식물을 보호할 수 있다.
- 습도, 온도, 공기 및 토양 등의 환경 조건을 일정하게 유지할 수 있다.
- 뜰이나 흙이 없어도 밀폐된 용기나 인공토양으로 실내에서 미니 정원을 즐길 수 있다.
- 사막, 항해하는 배, 우주정거장과 같이 식물을 키우기 힘든 환경에서도 키울 수 있다.

Ⅳ 빛과 렌즈

🌱 07 빛의 분산과 굴절

개념 기르기　　　　　　　84~85쪽

01 ⑤　　**02** ③　　**03** ①, ④　**04** ①, ⑤　**05** ④

06 ②, ④　**07** ②　　**08** ①　　**09** ③　　**10** ④

11 ⑤

---

01 햇빛은 여러 가지 색깔의 빛으로 이루어져 있으므로 프리즘을 통과하면 여러 가지 색깔의 빛으로 나누어진다.

02 레이저 지시기의 빛은 프리즘을 통과할 때 두 번 꺾인다.

03 햇빛과 레이저 지시기의 빛은 프리즘을 통과할 때 두 번 꺾인다.

04 햇빛을 거울에 비추면 반사되어 되돌아 나가고, 레이저 지시기는 한 가지 색의 빛으로 이루어져 있으므로 여러 빛깔로 나누어지지 않는다.

05 물에서 공기로 빛을 비추면 물 표면에서 공기 쪽으로 꺾여 나아간다.

06 공기에서 물, 또는 물에서 공기로 레이저 지시기의 빛을 수직으로 비추면 빛이 꺾이지 않는다.

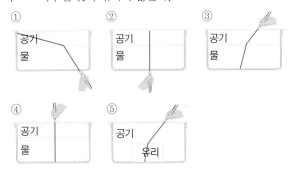

07 공기 중에서 물속으로 비스듬히 나아간 빛은 공기와 물의 경계에서 아래쪽으로 굴절한다.

08 컵에 물을 부으면 빛이 굴절하기 때문에 동전이 보인다.

②와 ③은 빛의 반사, ④는 빛의 분산, ⑤는 빛이 흩어지는 현상이다.

09 빛이 다른 물질의 경계에서 꺾여 나가는 현상을 빛의 굴절이라고 한다. 빛이 성질이 다른 물체를 통과하면 빛의 속도가 달라져 나아가는 방향이 바뀐다.

10 컵에 물을 부으면 빛이 공기와 물의 경계에서 굴절하기 때문에 빨대가 꺾여 보이고 옆에서 보면 분리된 것처럼 보인다.

11 물속에 있는 물체는 빛의 굴절에 의해 실제 깊이보다 떠올라 있는 것처럼 보인다.

서술형으로 다지기　　　　　　　86~87쪽

01 **모범답안** 빛은 공기와 식용유의 경계, 식용유와 물의 경계에서 각각 굴절된다. 또한, 물보다 식용유에서 더 많이 꺾이므로 공기에서 식용유로 나아갈 때는 아래쪽으로 많이 꺾이고, 식용유에서 물로 나아갈 때는 위쪽으로 꺾인다.

해설 빛은 속도 차이에 의해 꺾이고 물질에 따라 빛의 속도가 달라지므로 꺾이는 정도가 다르다. 빛은 공기에서 가장 속도가 빠르고, 물, 식용유 순으로 느려진다.

02 **모범답안** 빛이 유리와 식용유에서 굴절하는 정도가 비슷하여 우리 눈에 보이지 않는다.

해설 빛이 굴절하는 정도를 굴절률이라고 하며, 공기의 굴절률은 1, 유리의 굴절률은 1.46, 식용유의 굴절률은 1.47이다. 우리가 물체를 볼 수 있는 이유는 물체에서 반사된 빛이 우리 눈으로 들어오기 때문이다. 물이 담긴 컵에 유리 막대를 넣으면 물, 유리, 공기의 굴절률 차이가 크기 때문에 유리 막대가 잘 보인다. 그러나 물과 식용유가 담긴 컵에 유리 막대를 넣으면 빛이 유리 막대에서 식용유로 나아갈 때 유리 막대와 식용유의 굴절률이 비슷하므로 유리 막대와 식용유의 경계에서 꺾이지 않고 직진한다. 따라서 우리 눈에는 식용유만 보이고 유리 막대는 사라진 것처럼 보인다. 빛이 식용유에서 컵을 지나 공기 중으로 나아갈 때는 식용유와 공기의 굴절률 차이가 크기 때문에 식용유가 잘 보인다.

03 **모범답안** 빛이 물속에서 공기 중으로 나올 때 물 표면에서 굴절하기 때문이다.

해설 물 밖에 있는 사람이 물속에 있는 물체를 볼 수 있는 이유는 물속의 물체에서 나온 빛이 우리 눈으로 들어오기 때문이다. 물속의 물체에서 나온 빛은 물속에서 공기 중으로 나올 때 물 표면에서 굴절되어 꺾이기 때문에 실제보다 $\frac{3}{4}$ 정도 얕아 보인다.

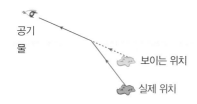

04 **모범답안** 물속의 물고기는 빛의 굴절에 의해 실제 깊이보다 떠 있는 것처럼 보이므로 작살은 보이는 곳보다 아래쪽으로 던져야 한다. 레이저는 빛으로, 공기와 물의 경계에서 굴절하므로 레이저 총은 보이는 곳을 향해 쏴야 한다.

해설 물속에 있는 물체에서 나온 빛은 물과 공기의 경계에서 굴절하지만 공기 중에 있는 사람은 빛의 굴절을 느끼지 못하고 굴절된 빛의 연장선에 물체가 있다고 인식한다. 따라서 작살을 던질 때는 보이는 곳보다 아래쪽으로 던져야 한다.

융합사고력 키우기
88~89쪽

01 **모범답안** 신기루

해설 부산 영도나 해운대 해수욕장에서도 빛의 굴절로 인해 50 km 떨어진 곳에 있는 대마도의 해안선이 보이기도 한다. 지구는 구형이므로 부산에서는 대마도에서 가장 높은 야타산의 꼭대기 부분만 보여야 한다. 그러나 부산 쪽이 대마도보다 훨씬 기온이 낮거나, 부산과 대마도 사이에 찬 공기가 있을 때는 빛의 굴절로 인해 대마도의 해안선이 모두 보인다.

02 **모범답안** 빛이 따뜻한 공기에서 찬 공기로 비스듬히 나아갈 때 아래쪽으로 굴절하는데 사람은 빛의 굴절을 느끼지 못하고

굴절된 빛의 연장선에 물체가 있다고 인식하기 때문이다.

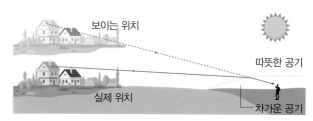

해설 온도가 낮은 땅 위에 따뜻한 공기층이 있으면 먼 곳에서 오는 빛이 따뜻한 공기층과 차가운 공기층의 경계에서 굴절되므로 사람들 눈에는 먼 곳에 있는 도시가 공기 중에 떠있는 것처럼 보인다.

03 **예시답안**

• 물속에 있는 물체가 실제 위치보다 떠올라 있는 것처럼 보인다.
• 밤하늘의 별이 실제 위치보다 높은 곳에 있는 것처럼 보인다.
• 사막이나 뜨거운 도로에서 신기루나 아지랑이가 보인다.
• 더운 날 해안가에서 신기루가 보인다.
• 물속의 물고기가 실제보다 크게 보이고 떠 보인다.
• 물에 잠긴 다리가 실제보다 굵고 짧게 보인다.

해설 기온 차이가 크지 않을 때는 아지랑이가 만들어지고, 기온이 20 ℃ 이상 차이 나면 신기루가 생긴다.

• 아지랑이 : 햇빛이 강하면, 쉽게 달궈지는 도로나 모래사장의 온도가 높아진다. 땅의 뜨거운 공기와 위쪽의 차가운 공기가 섞이면 빛이 불규칙하게 굴절되어 아른거려 보이는 아지랑이가 생긴다.
• 신기루 : 사막에서 햇빛에 의해 땅이 가열되면 공기와 기온 차이가 커진다. 땅의 뜨거운 공기와 위쪽의 차가운 공기가 섞이지 못하고 경계가 생기면 빛이 온도가 다른 두 공기의 경계에서 굴절되어 물체가 실제 위치가 아닌 곳에서 보이는 신기루가 나타난다.

▲ 아지랑이　　　　▲ 신기루

🌱 08 볼록 렌즈의 특징과 이용

01 ④	**02** ⑤	**03** ⑤	**04** ②, ④	**05** ④
06 ③	**07** ⑤	**08** ⑤	**09** ③, ⑤	**10** ②
11 ⑤				

01 볼록 렌즈는 옆에서 보면 가운데가 볼록한 모양으로 가운데 부분이 가장자리 부분보다 두껍다.

02 볼록 렌즈로부터 가까이 있는 물체는 항상 크고 똑바로 보이고, 볼록 렌즈로부터 멀리 있는 물체는 렌즈와 눈 사이의 거리가 가까우면 크고 똑바로 보이고, 렌즈와 눈 사이의 거리가 멀면 작고 거꾸로 보인다.

03 물방울, 돋보기 안경, 둥근 유리 막대, 물이 들어 있는 둥근 어항은 가운데 부분이 볼록 렌즈와 같은 역할을 한다. 물이 들어 있는 투명한 병의 오목한 밑면은 오목 렌즈와 같은 역할을 한다.

04 빛이 공기 중에서 볼록 렌즈를 통과하면 굴절되어 진행 방향이 바뀌어 한 점으로 모인다. 빛은 렌즈의 두꺼운 쪽으로 꺾인다.

05 평면 유리와 하얀색 도화지 사이의 거리를 점점 멀리해도 밝은 원 부분의 크기는 변화없다. 볼록 렌즈는 빛을 모으기 때문에 볼록 렌즈와 하얀색 도화지 사이의 거리를 점점 멀리하면 밝은 원 부분의 크기가 점점 작아진다.

06 간이 사진기에는 빛을 한 점으로 모아주는 볼록 렌즈를 사용한다. 오목 렌즈로 간이 사진기를 만들면 반투명한 종이에 물체의 모습이 보이지 않는다.

07 간이 사진기로 물체를 보면 상하좌우가 거꾸로 보인다.

08 간이 사진기의 볼록 렌즈는 빛을 굴절시켜 반투명한 종이에 물체의 모습이 나타나게 한다.

09 간이 사진기로 가까이 있는 물체를 볼 때는 작은 원통을 볼록 렌즈와 멀리 하고, 멀리 있는 물체를 볼 때는 작은 원통을 볼록 렌즈와 가깝게 한다.

10 루페, 돋보기, 원시경, 현미경은 볼록 렌즈를 이용하여 물체를 크게 보고, 근시경은 오목 렌즈를 이용하여 멀리 있는 물체를 선명하게 본다.

11 근시경은 멀리 있는 것이 잘 보이지 않는 근시인 사람이 멀리 있는 물체를 선명하게 볼 수 있게 한다.

01 **모범답안** 오목 렌즈를 통과한 빛은 바깥쪽으로 퍼지기 때문에 햇빛을 모을 수 없다.

해설 렌즈를 통과한 빛은 렌즈의 두꺼운 쪽으로 꺾인다. 볼록 렌즈를 통과한 빛은 가운데로 모이고, 오목 렌즈를 통과한 빛은 가장자리로 퍼져 나간다. 따라서 볼록 렌즈로는 햇빛을 모을 수 있지만, 오목 렌즈로는 햇빛을 모을 수 없다.

02 **모범답안** 빛을 모아주는 볼록 렌즈를 사용하여 빛이 망막에 모이도록 해야 한다.

해설 우리 눈의 각막과 수정체는 볼록 렌즈와 같은 모양으로 눈으로 들어오는 빛을 굴절시켜 모아주는 역할을 한다. 각막이 평평하거나 눈이 작아 눈으로 들어오는 빛이 망막 뒤쪽에 모이면 원시가 생긴다. 원시를 교정하기 위해서는 빛을 모아주는 볼록 렌즈를 사용해야 한다. 원시를 교정하기 위한 레이저 시력 교정술은 레이저로 각막 주변을 깎아 각막을 볼록하게 만들어 볼록 렌즈로 된 안경을 쓰는 것과 같은 효과를 나타나게 한다. 반대로 각막이 너무 볼록하거나 눈이 커서 눈으로 들어오는 빛이 망막 앞쪽에 모이면 근시가 생긴다. 근시를 교정하기 위해서는 빛을 퍼지게 하는 오목 렌즈를 사용해야 한다. 근시를 교정하기 위한 레이저 시력 교정술은 볼록한 각막을 깎아 평평하게 만들어 오목 렌즈로 된 안경을 쓰는 것과 같은 효과를 나타나게 한다.

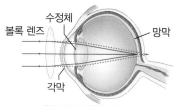

----- 원시일 때 빛의 경로
——— 볼록 렌즈로 교정했을 때 빛의 경로

03 **모범답안** 현미경은 작은 물체의 모습을 크게 확대하여 보는 기구로, 접안렌즈와 대물렌즈 모두 볼록 렌즈를 이용한다.

해설 현미경은 관찰하려는 물체와 가까운 곳의 대물렌즈와 눈에 가까이 하는 접안렌즈를 이용하여 물체를 확대하여 관찰하는 도구이다. 현미경은 대물렌즈와 접안렌즈 모두 볼록 렌즈로 이루어져 있으므로, 물체에서 반사된 빛을 모으고 상을 확대한다.

접안렌즈
대물렌즈

04 **모범답안** 렌즈를 통과하는 빛의 양이 줄어들기 때문에 두꺼운 종이로 가리지 않았을 때 보다 어둡게 보인다.

해설 간이 사진기의 볼록 렌즈 윗부분을 두꺼운 종이로 가리면 반투명한 종이에 물체의 모습이 반만 나타날 것이라고 생각할 수 있다. 그러나 렌즈를 통과한 빛의 양만 줄어들 뿐 렌즈를 가린 나머지 부분으로 빛이 들어가므로 물체 전체 모습이 모두 보이지만 처음보다 어둡게 보인다.

융합사고력 키우기
98~99쪽

01 **모범답안** 달은 크기가 작지만 화성보다 지구에 가까이 있기 때문에 크고 밝게 보인다.

02 **모범답안** 갈릴레이식 굴절 망원경은 눈으로 보는 것과 같게 보이고, 케플러식 굴절 망원경은 상하좌우가 바뀌어 보인다.

해설 접안렌즈를 오목 렌즈로 만든 갈릴레이식 굴절 망원경으로 물체를 보면 바로 보이고, 접안렌즈가 볼록 렌즈인 케플러식 굴절 망원경으로 보면 상하좌우가 바뀌어 보인다.

▲ 갈릴레이식 굴절   ▲ 케플러식 굴절
  망원경으로 본 달   망원경으로 본 달

굴절 망원경은 밝은 별이나 행성을 관측할 때, 무지개처럼 여러 색으로 퍼지는 색수차가 나타나는 단점이 있다. 1668년 뉴턴은 굴절 망원경의 색수차를 해결하기 위해 대물렌즈를 볼록 렌즈 대신 빛을 반사시키는 오목 거울을 사용한 망

원경을 발명하였다. 대물렌즈로 오목 거울을 사용한 망원경을 반사 망원경이라고 한다.

03 **모범답안** 크기가 큰 렌즈는 만들기 어렵고 무겁기 때문이다.

해설 굴절 망원경은 사용하는 렌즈가 두껍고 무겁기 때문에 크기를 계속 키우는 데 한계가 있다. 렌즈가 너무 커지면, 빛이 퍼지므로 상이 흐릿해지기도 한다. 현재 가장 큰 굴절 망원경의 대물렌즈는 지름이 1 m 정도이다. 반면, 반사 망원경은 여러 장의 작은 거울을 이어 붙여서 큰 거울처럼 사용할 수 있다. 또 주경에 반사된 빛을 다시 반사하는 작은 거울인 '부경'을 여러 장 이용하면 몸체도 짧게 만들 수 있다. 이 때문에 지금 사용하고 있거나 앞으로 건설 예정인 거대 망원경은 모두 반사 망원경이다.

탐구력 키우기
100~101쪽

01 **모범답안** 물체가 똑바로 보이고 가까이 있는 것처럼 보인다.

해설 볼록 렌즈만 사용한 간이 사진기와 다르게 오목 렌즈와 볼록 렌즈를 사용한 쌍안경으로 물체를 보면 물체가 똑바로 보인다.

02 **모범답안**

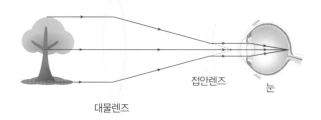

접안렌즈   눈
대물렌즈

03 **모범답안** 대물렌즈인 볼록 렌즈가 멀리 있는 물체에서 반사된 빛을 모으고, 접안렌즈의 오목 렌즈가 똑바로 보이게 한다.

해설 대물렌즈로 사용하는 볼록 렌즈의 크기가 클수록 빛을 많이 모을 수 있으며, 초점 거리가 길수록 배율이 커진다. 우리가 만든 쌍안경과 달리 실제 쌍안경은 케플러식 굴절 망원경으로, 대물렌즈와 접안렌즈 모두 볼록 렌즈를 사용한다. 뒤집힌 상을 바로 잡기 위해 여러 개의 프리즘을 사용하고, 색수차 등을 제거하기 위해 여러 개의 복합 렌즈를 사용한다.

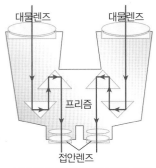

대물렌즈　　　대물렌즈

프리즘

접안렌즈

▲ 실제 쌍안경에서의 빛의 이동 경로

04 예시답안

- 전반사 프리즘을 이용한 쌍안경 : 상하좌우가 바뀌어 보이는 물체의 모습을 프리즘을 이용해 똑바로 보이게 한다. 전반사 프리즘을 사용하면 손실되는 빛이 없어서 상이 밝다.

- 전반사를 이용한 광섬유 장식 : 광섬유 다발로 장식품을 만들고 한쪽 끝에서 다양한 색의 빛을 보내면 광섬유 끝에서 화려한 색이 나타난다.

- 전반사를 이용한 수족관 : 수족관 밖으로 빠져나가는 빛이 없으므로, 수족관 안이 밝아지고 전등의 효율을 높일 수 있다.

- 전반사 거울 : 거울 표면에 알루미늄, 실리콘, 나이오븀과 같은 물질을 아주 얇게 진공 처리하여 전반사되도록 만든다. 거울은 빛 일부가 거울면에 흡수되므로 반사된 빛의 세기가 입사한 빛보다 약하지만, 전반사 거울은 입사한 빛과 반사한 빛의 세기가 같아서 밝다.

- 전반사를 이용한 위내시경 : 광섬유 케이블을 환자의 입을 통해 위 안에 넣고 빛을 비추면, 광섬유를 따라 빛이 전반사되어 위 속을 볼 수 있다.

- 다이아몬드의 내부 전반사 : 다이아몬드 연마를 잘하면 다이아몬드 안으로 들어간 모든 빛이 아랫부분에서 전반사되어 위쪽으로 나오기 때문에 화려하게 반짝거린다.

▲ 광섬유 장식

▲ 광섬유 수족관

▲ 내시경 케이블

▲ 전반사 다이아몬드

안쌤의
줄기과학 시리즈

새 교육과정
3~4학년
학기별
STEAM 과학

3-1 **8강** 3-2 **8강**   4-1 **8강** 4-2 **8강**

새 교육과정
5~6학년
학기별
STEAM 과학

5-1 **8강** 5-2 **8강**   6-1 **8강** 6-2 **8강**

새 교육과정
중등 영역별
STEAM 과학

물리학 24강   **화학 16강**   **생명과학 16강**   **지구과학 16강**   **물리학 워크북**   **화학 워크북**

안쌤의
줄기과학 시리즈

새 교육과정
3~4학년
학기별
STEAM 과학

3-1 **8강**   3-2 **8강**   4-1 **8강**   4-2 **8강**

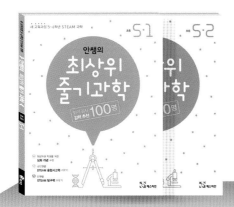

새 교육과정
5~6학년
학기별
STEAM 과학

5-1 **8강**   5-2 **8강**   6-1 **8강**   6-2 **8강**

새 교육과정
중등 영역별
STEAM 과학

물리학 24강   **화학 16강**   **생명과학 16강**   **지구과학 16강**   **물리학 워크북**   **화학 워크북**

안쌤의
최상위
줄기과학

 매스티안

펴낸곳 타임교육C&P　　**펴낸이** 이길호
지은이 안쌤 영재교육연구소 (안재범, 최은화, 유나영, 이상호, 추진희, 허재이, 오아린, 이나연, 김혜진, 김샛별, 이유경)
주소 서울특별시 강남구 봉은사로 442　　**연락처** 1588-6066
팩토카페 http://cafe.naver.com/factos
안쌤카페 http://cafe.naver.com/xmrahrrhrhghkr(안쌤 영재교육연구소)

자율안전확인신고필증번호: B361H200-4001
1. 주소: 06153 서울특별시 강남구 봉은사로 442
2. 문의전화: 1588-6066
3. 제조년월: 2023년 5월
4. 제조국: 대한민국
5. 사용연령: 8세 이상
※ KC마크는 이 제품이 공통안전기준에 적합하였음을 의미합니다.

⚠ 주의

종이, 모서리에 다칠 수
있으니 주의하세요!

안쌤의
창의적 문제해결력 시리즈

초등 1~2 학년

초등 3~4 학년

초등 5~6 학년

중등 1~2 학년

안쌤의
줄기과학 시리즈

새 교육과정
3~4학년
학기별
STEAM 과학

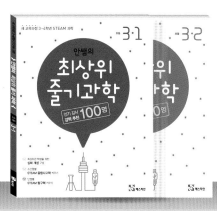

3-1 **8강** 3-2 **8강**   4-1 **8강** 4-2 **8강**

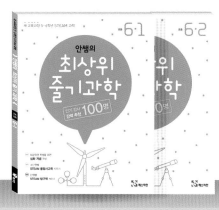

새 교육과정
5~6학년
학기별
STEAM 과학

5-1 **8강** 5-2 **8강**   6-1 **8강** 6-2 **8강**

새 교육과정
중등 영역별
STEAM 과학

물리학 **24강**   화학 **16강**   생명과학 **16강**   지구과학 **16강**   물리학 워크북   화학 워크북